HAMBURGER LESEHEFTE

PLUS

TEXT UND MATERIALIEN

FRIEDRICH VON SCHILLER

WILHELM TELL

Ein Schauspiel

HLV

Bange Verlag

HAMBURGER LESEHEFTE PLUS
KÖNIGS MATERIALIEN
515. HEFT

Zur Textgestaltung

Der Text dieses Heftes beruht auf dem 7. Band der von Oskar Walzel herausgegebenen so gen. Säkular-Ausgabe von Schillers *Sämtlichen Werken* (Stuttgart, Cotta, 1904). Daneben wurde noch die Ausgabe des Bibliographischen Instituts (*Schillers Werke*, Bd. 8, neu bearbeitet von Benno von Wiese; Leipzig, 1936) herangezogen. Das hatte in Einzelfällen geringfügige Abweichungen von der konventionellen Zeichensetzung zur Folge. Die Rechtschreibung wurde den amtlichen Regeln behutsam angeglichen.

Analysiert und interpretiert mit Textverweisen auf dieses Heft wird *Wilhelm Tell* in Königs Erläuterungen, 978-3-8044-1917-9, C. Bange Verlag.

1. Auflage 2020

Alle Drucke dieser Ausgabe und die der Hamburger Lesehefte sind untereinander unverändert und können im Unterricht nebeneinander genutzt werden.

Heftbearbeitung Text: F. Bruckner und Kurt Sternelle
Heftbearbeitung Materialien: Dr. Oliver Pfohlmann
Umschlaggestaltung und Layout: Petra Michel
Umschlagzeichnung: Ingeborg Strange-Friis
Druck und Weiterverarbeitung: Husum Druck- und Verlagsgesellschaft, Husum

ISBN 978-3-8044-2586-6

www.bange-verlag.de

ISBN 978-3-87291-514-6

www.verlagsgruppe.de

INHALT

TEXT

PERSONEN

	HERMANN GESSLER, Reichsvogt in Schwyz und Uri	
Bannerherr Gerichtsherr	WERNER, FREIHERR VON ATTINGHAUSEN, Bannerherr	
	ULRICH VON RUDENZ, sein Neffe	
	WERNER STAUFFACHER	Landleute aus Schwyz
	KONRAD HUNN	Landleute aus Schwyz
	ITEL REDING	Landleute aus Schwyz
	HANS AUF DER MAUER	Landleute aus Schwyz
	JÖRG IM HOFE	Landleute aus Schwyz
	ULRICH DER SCHMIED	Landleute aus Schwyz
	JOST VON WEILER	Landleute aus Schwyz
	WALTER FÜRST	aus Uri
	WILHELM TELL	aus Uri
	RÖSSELMANN, der Pfarrer	aus Uri
	PETERMANN, der Sigrist	aus Uri
	KUONI, der Hirte	aus Uri
	WERNI, der Jäger	aus Uri
	RUODI, der Fischer	aus Uri
	ARNOLD VOM MELCHTAL	aus Unterwalden
	KONRAD BAUMGARTEN	aus Unterwalden
	MEIER VON SARNEN	aus Unterwalden
	STRUTH VON WINKELRIED	aus Unterwalden
	KLAUS VON DER FLÜE	aus Unterwalden
	BURKHART AM BÜHEL	aus Unterwalden
	ARNOLD VON SEWA	aus Unterwalden
	PFEIFER VON LUZERN	
	KUNZ VON GERSAU	
	JENNI, Fischerknabe	
	SEPPI, Hirtenknabe	
	GERTRUD, Stauffachers Gattin	
	HEDWIG, Tells Gattin, Fürsts Tochter	
	BERTA VON BRUNECK, eine reiche Erbin	
	ARMGARD, MECHTHILD	Bäuerinnen
	ELSBETH, HILDEGARD	Bäuerinnen
	WALTER, WILHELM, Tells Knaben	
	FRIESSHART, LEUTHOLD, Söldner	
	RUDOLF DER HARRAS, Geßlers Stallmeister	
Parricida *(lat.)* Verwandtenmörder	JOHANNES PARRICIDA, Herzog von Schwaben	
	STÜSSI, der Flurschütz	
	DER STIER von URI	
	EIN REICHSBOTE	
	FRONVOGT	
	MEISTER STEINMETZ, GESELLEN und HANDLANGER	
	ÖFFENTLICHE AUSRUFER	
	BARMHERZIGE BRÜDER	
	GESSLERISCHE und LANDENBERGISCHE REITER	
	VIELE LANDLEUTE, MÄNNER und WEIBER aus den Waldstätten	

ERSTER AUFZUG

ERSTE SZENE

Hohes Felsenufer des Vierwaldstättensees, Schwyz gegenüber. Der See macht eine Bucht ins Land, eine Hütte ist unweit dem Ufer, Fischerknabe fährt sich in einem Kahn. Über den See hinweg sieht man die grünen Matten, Dörfer und Höfe von Schwyz im hellen Sonnenschein liegen. Zur Linken des Zuschauers zeigen sich die Spitzen des Haken, mit Wolken umgeben; zur Rechten im fernen Hintergrund sieht man die Eisgebirge. Noch ehe der Vorhang aufgeht, hört man den Kuhreihen und das harmonische Geläut der Herdenglocken, welches sich auch bei eröffneter Szene noch eine Zeit lang fortsetzt.

der Haken Gebirgszug nördlich von Schwyz →

FISCHERKNABE *(singt im Kahn).*
(Melodie des Kuhreihens.)
Es lächelt der See, er ladet zum Bade,
Der Knabe schlief ein am grünen Gestade,
Da hört er ein Klingen,
Wie Flöten so süß,
Wie Stimmen der Engel
Im Paradies.
Und wie er erwachet in seliger Lust,
Da spülen die Wasser ihm um die Brust,
Und es ruft aus den Tiefen:
Lieb Knabe, bist mein!
Ich locke den Schläfer,
Ich zieh ihn herein.

HIRTE *(auf dem Berge).*
(Variation des Kuhreihens.)
Ihr Matten, lebt wohl,
Ihr sonnigen Weiden!
Der Senne muss scheiden,
Der Sommer ist hin.
Wir fahren zu Berg, wir kommen wieder,
Wenn der Kuckuck ruft, wenn erwachen die Lieder,
Wenn mit Blumen die Erde sich kleidet neu,
Wenn die Brünnlein fließen im lieblichen Mai.
Ihr Matten, lebt wohl,
Ihr sonnigen Weiden!
Der Senne muss scheiden,
Der Sommer ist hin.

Variation *(franz.)* musikalische Abwandlung eines Themas

ALPENJÄGER *(erscheint gegenüber auf der Höhe des Felsen). (Zweite Variation.)*
Es donnern die Höhen, es zittert der Steg,
Nicht grauet dem Schützen auf schwindlichtem Weg,
Er schreitet verwegen
Auf Feldern von Eis,
Da pranget kein Frühling,
Da grünet kein Reis;
Und unter den Füßen ein neblichtes Meer,
Erkennt er die Städte der Menschen nicht mehr,
Durch den Riss nur der Wolken
Erblickt er die Welt,
Tief unter den Wassern
Das grünende Feld.

(Die Landschaft verändert sich, man hört ein dumpfes Krachen von den Bergen, Schatten von Wolken laufen über die Gegend.) Ruodi der Fischer kommt aus der Hütte, Werni der Jäger steigt vom Felsen, Kuoni der Hirt kommt mit dem Melknapf auf der Schulter, Seppi, sein Handbube, folgt ihm.

Naue Kahn; Naue vom latein. navis = Schiff

Der graue Talvogt Nebel

←

Firn *hier*: Berg oberhalb der Schneegrenze

RUODI. Mach hurtig, Jenni! Zieh die Naue ein.
Der graue Talvogt kommt, dumpf brüllt der Firn,
Der Mythenstein zieht seine Haube an,
Und kalt her bläst es aus dem Wetterloch;
Der Sturm, ich mein, wird da sein, eh wir's denken.
KUONI. 's kommt Regen, Fährmann. Meine Schafe fressen
Mit Begierde Gras, und Wächter scharrt die Erde.
WERNI. Die Fische springen, und das Wasserhuhn
Taucht unter. Ein Gewitter ist im Anzug.
KUONI *(zum Buben).*
Lug, Seppi, ob das Vieh sich nicht verlaufen.
SEPPI. Die braune Liesel kenn ich am Geläut.
KUONI. So fehlt uns keine mehr, die geht am weitsten.
RUODI. Ihr habt ein schön Geläute, Meister Hirt.
WERNI. Und schmuckes Vieh – Ist's Euer eignes, Landsmann?
KUONI. Bin nit so reich – 's ist meines gnäd'gen Herrn,
Des Attinghäusers, und mir zugezählt.
RUODI. Wie schön der Kuh das Band zu Halse steht!
KUONI. Das weiß sie auch, dass sie den Reihen führt,
Und nähm ich ihr's, sie hörte auf zu fressen.
RUODI. Ihr seid nicht klug! Ein unvernünft'ges Vieh –
WERNI. Ist bald gesagt. Das Tier hat auch Vernunft,
Das wissen wir, die wir die Gemsen jagen:
Die stellen klug, wo sie zur Weide gehn,

'ne Vorhut aus, die spitzt das Ohr und warnet
Mit heller Pfeife, wenn der Jäger naht.
RUODI *(zum Hirten).*
Treibt Ihr jetzt heim?
KUONI. Die Alp ist abgeweidet.
WERNI. Glücksel'ge Heimkehr, Senn!
KUONI. Die wünsch ich Euch;
Von Eurer Fahrt kehrt sich's nicht immer wieder.
RUODI. Dort kommt ein Mann in voller Hast gelaufen.
WERNI. Ich kenn ihn, 's ist der Baumgart von Alzellen.
Konrad Baumgarten atemlos hereinstürzend.
BAUMGARTEN. Um Gottes willen, Fährmann, Euren Kahn!
RUODI. Nun, nun, was gibt's so eilig?
BAUMGARTEN. Bindet los!
Ihr rettet mich vom Tode! Setzt mich über!
KUONI. Landsmann, was habt Ihr?
WERNI. Wer verfolgt Euch denn?
BAUMGARTEN *(zum Fischer).*
Eilt, eilt, sie sind mir dicht schon an den Fersen!
Des Landvogts Reiter kommen hinter mir,
Ich bin ein Mann des Tods, wenn sie mich greifen.
RUODI. Warum verfolgen Euch die Reisigen?
BAUMGARTEN.
Erst rettet mich, und dann steh ich Euch Rede.
WERNI. Ihr seid mit Blut befleckt, was hat's gegeben?
BAUMGARTEN. Des Kaisers Burgvogt, der auf Rossberg saß –
KUONI. Der Wolfenschießen! Lässt Euch der verfolgen?
BAUMGARTEN.
Der schadet nicht mehr, ich hab ihn erschlagen.
ALLE *(fahren zurück).*
Gott sei Euch gnädig! Was habt Ihr getan?
BAUMGARTEN. Was jeder freie Mann an meinem Platz!
Mein gutes Hausrecht hab ich ausgeübt
Am Schänder meiner Ehr und meines Weibes.
KUONI. Hat Euch der Burgvogt an der Ehr geschädigt?
BAUMGARTEN. Dass er sein bös Gelüsten nicht vollbracht,
Hat Gott und meine gute Axt verhütet.
WERNI. Ihr habt ihm mit der Axt den Kopf zerspalten?
KUONI. O lasst uns alles hören, Ihr habt Zeit,
Bis er den Kahn vom Ufer losgebunden.
BAUMGARTEN. Ich hatte Holz gefällt im Wald, da kommt
Mein Weib gelaufen in der Angst des Todes:
Der Burgvogt lieg in meinem Haus, er hab

Alzellen Dorf in Unterwalden

Ihr anbefohlen, ihm ein Bad zu rüsten.
Drauf hab er Ungebührliches von ihr
Verlangt; sie sei entsprungen, mich zu suchen.
Da lief ich frisch hinzu, so wie ich war,
Und mit der Axt hab ich ihm's Bad gesegnet.
WERNI. Ihr tatet wohl, kein Mensch kann Euch drum schelten.
KUONI. Der Wüterich! Der hat nun seinen Lohn!
Hat's lang verdient ums Volk von Unterwalden.
BAUMGARTEN. Die Tat ward ruchbar, mir wird nachgesetzt! –
Indem wir sprechen – Gott – verrinnt die Zeit –
(Es fängt an zu donnern.)
KUONI. Frisch, Fährmann – Schaff den Biedermann hinüber.
RUODI. Geht nicht. Ein schweres Gewitter ist
Im Anzug. Ihr müsst warten.
BAUMGARTEN. Heil'ger Gott!
Ich kann nicht warten. Jeder Aufschub tötet –
KUONI *(zum Fischer).*
Greif an mit Gott! Dem Nächsten muss man helfen,
Es kann uns allen Gleiches ja begegnen.
(Brausen und Donnern.)
RUODI. Der Föhn ist los, ihr seht, wie hoch der See geht,
Ich kann nicht steuern gegen Sturm und Wellen.
BAUMGARTEN *(umfasst seine Knie).*
So helf Euch Gott, wie Ihr Euch mein erbarmet –
WERNI. Es geht ums Leben, sei barmherzig, Fährmann.
KUONI. 's ist ein Hausvater, und hat Weib und Kinder!
(Wiederholte Donnerschläge.)
RUODI. Was? Ich hab auch ein Leben zu verlieren,
Hab Weib und Kind daheim, wie er. – Seht hin
Wie's brandet, wie es wogt und Wirbel zieht
Und alle Wasser aufrührt in der Tiefe.
– Ich wollte gern den Biedermann erretten,
Doch es ist rein unmöglich, ihr seht selbst.
BAUMGARTEN *(noch auf den Knien).*
So muss ich fallen in des Feindes Hand,
Das nahe Rettungsufer im Gesichte!
– Dort liegt's! Ich kann's erreichen mit den Augen,
Hinüberdringen kann der Stimme Schall,
Da ist der Kahn, der mich hinübertrüge,
Und muss hier liegen, hilflos, und verzagen!
KUONI. Seht, wer da kommt!
WERNI. Es ist der Tell aus Bürglen.
Tell mit der Armbrust.

Föhn warmer Südwind

Bürglen Ortschaft in Uri

TELL. Wer ist der Mann, der hier um Hilfe fleht?
KUONI. 's ist ein Alzeller Mann, er hat sein Ehr
Verteidigt und den Wolfenschieß erschlagen,
Des Königs Burgvogt, der auf Rossberg saß –
Des Landvogts Reiter sind ihm auf den Fersen,
Er fleht den Schiffer um die Überfahrt,
Der fürcht't sich vor dem Sturm und will nicht fahren.
RUODI. Da ist der Tell, er führt das Ruder auch,
Der soll mir's zeugen, ob die Fahrt zu wagen.
TELL. Wo's Not tut, Fährmann, lässt sich alles wagen.
(Heftige Donnerschläge, der See rauscht auf.)
RUODI. Ich soll mich in den Höllenrachen stürzen?
Das täte keiner, der bei Sinnen ist.
TELL. Der brave Mann denkt an sich selbst zuletzt,
Vertrau auf Gott und rette den Bedrängten.
RUODI. Vom sichern Port lässt sich's gemächlich raten.
Da ist der Kahn und dort der See! Versucht's!
TELL. Der See kann sich, der Landvogt nicht erbarmen,
Versuch es, Fährmann!
HIRTEN UND JÄGER. Rett ihn! Rett ihn! Rett ihn!
RUODI. Und wär's mein Bruder und mein leiblich Kind,
Es kann nicht sein, 's ist heut Simons und Judä,
Da rast der See und will sein Opfer haben.
TELL. Mit eitler Rede wird hier nichts geschafft,
Die Stunde dringt, dem Mann muss Hilfe werden.
Sprich Fährmann, willst du fahren?
RUODI. Nein, nicht ich!
TELL. In Gottes Namen denn! Gib her den Kahn,
Ich will's mit meiner schwachen Kraft versuchen.
KUONI. Ha, wackrer Tell!
WERNI. Das gleicht dem Weidgesellen!
BAUMGARTEN. Mein Retter seid Ihr und mein Engel, Tell!
TELL. Wohl aus des Vogts Gewalt errett ich Euch,
Aus Sturmes Nöten muss ein andrer helfen.
Doch besser ist's, Ihr fallt in Gottes Hand
Als in der Menschen!
(Zu den Hirten.) Landsmann, tröstet Ihr
Mein Weib, wenn mir was Menschliches begegnet,
Ich hab getan, was ich nicht lassen konnte.
(Er springt in den Kahn.)
KUONI *(zum Fischer).*
Ihr seid ein Meister, Steuermann. Was sich
Der Tell getraut, das konntet I h r nicht wagen?

Port *(franz.)* Hafen

→

RUODI. Wohl bess're Männer tun's dem Tell nicht nach,
Es gibt nicht zwei, wie der ist, im Gebirge.
WERNI *(ist auf den Fels gestiegen).*
Er stößt schon ab. Gott helf dir, braver Schwimmer!
Sieh, wie das Schifflein auf den Wellen schwankt!
KUONI *(am Ufer).*
Die Flut geht drüber weg. – Ich seh's nicht mehr.
Doch halt, da ist es wieder! Kräftiglich
Arbeitet sich der Wackre durch die Brandung.
SEPPI. Des Landvogts Reiter kommen angesprengt.
KUONI. Weiß Gott, sie sind's! Das war Hilf in der Not.
Ein Trupp Landenbergischer Reiter.
ERSTER REITER.
Den Mörder gebt heraus, den Ihr verborgen.
ZWEITER. Des Wegs kam er, umsonst verhehlt Ihr ihn.
KUONI und RUODI. Wen meint Ihr, Reiter?
ERSTER REITER *(entdeckt den Nachen).*
Ha, was seh ich! Teufel!
WERNI *(oben).* Ist's der im Nachen, den Ihr sucht? – Reit zu!
Wenn Ihr frisch beilegt, holt Ihr ihn noch ein.
ZWEITER. Verwünscht! Er ist entwischt.
ERSTER *(zum Hirten und Fischer).* Ihr habt ihm fortgeholfen,
Ihr sollt uns büßen – Fallt in ihre Herde!
Die Hütte reißet ein, brennt und schlagt nieder! *(Eilen fort.)*
SEPPI *(stürzt nach).* O meine Lämmer!
KUONI *(folgt).* Weh mir! meine Herde!
WERNI. Die Wütriche!
RUODI *(ringt die Hände).* Gerechtigkeit des Himmels,
Wann wird der Retter kommen diesem Lande? *(Folgt ihnen.)*

ZWEITE SZENE

Steinen nordwestlich von Schwyz

Zu Steinen in Schwyz.

Eine Linde vor des Stauffachers Hause an der Landstraße nächst der Brücke.

Werner Stauffacher, Pfeifer von Luzern kommen im Gespräch.

PFEIFER. Ja, ja, Herr Stauffacher, wie ich Euch sagte,
Schwört nicht zu Östreich, wenn Ihr's könnt vermeiden.

Haltet fest am Reich und wacker, wie bisher,
Gott schirme Euch bei Eurer alten Freiheit!
(Drückt ihm herzlich die Hand und will gehen.)
STAUFFACHER.
Bleibt doch, bis meine Wirtin kommt – Ihr seid
Mein Gast zu Schwyz, ich in Luzern der Eure.
PFEIFER. Viel Dank! Muss heute Gersau noch erreichen.
– Was Ihr auch Schweres mögt zu leiden haben
Von Eurer Vögte Geiz und Übermut,
Tragt's in Geduld! Es kann sich ändern, schnell,
Ein andrer Kaiser kann ans Reich gelangen.
Seid ihr erst Österreichs, seid ihr's auf immer.
Er geht ab. Stauffacher setzt sich kummervoll auf eine Bank unter der Linde. So findet ihn Gertrud, seine Frau, die sich neben ihn stellt und ihn eine Zeit lang schweigend betrachtet.
GERTRUD. So ernst, mein Freund? Ich kenne dich nicht mehr.
Schon viele Tage seh ich's schweigend an,
Wie finstrer Trübsinn deine Stirne furcht.
Auf deinem Herzen drückt ein still Gebresten,
Vertrau es mir, ich bin dein treues Weib,
Und meine Hälfte fordr' ich deines Grams.
(Stauffacher reicht ihr die Hand und schweigt.)
Was kann dein Herz beklemmen, sag es mir!
Gesegnet ist dein Fleiß, dein Glücksstand blüht,
Voll sind die Scheunen, und der Rinder Scharen,
Der glatten Pferde wohl genährte Zucht
Ist von den Bergen glücklich heimgebracht
Zur Winterung in den bequemen Ställen.
– Da steht dein Haus, reich wie ein Edelsitz,
Von schönem Stammholz ist es neu gezimmert
Und nach dem Richtmaß ordentlich gefügt;
Von vielen Fenstern glänzt es wohnlich, hell,
Mit bunten Wappenschildern ist's bemalt
Und weisen Sprüchen, die der Wandersmann
Verweilend liest und ihren Sinn bewundert.
STAUFFACHER. Wohl steht das Haus gezimmert und gefügt,
Doch ach – es wankt der Grund, auf den wir bauten.
GERTRUD. Mein Werner, sage, wie verstehst du das?
STAUFFACHER. Vor dieser Linde saß ich jüngst, wie heut,
Das schön Vollbrachte freudig überdenkend,
Da kam daher von Küssnacht, seiner Burg,
Der Vogt mit seinen Reisigen geritten.
Vor diesem Hause hielt er wundernd an;

Gersau bei Steinen gelegen

Doch ich erhub mich schnell, und unterwürfig,
Wie sich's gebührt, trat ich dem Herrn entgegen,
Der uns des Kaisers richterliche Macht
Vorstellt im Lande. „Wessen ist dies Haus?",
Fragt' er bösmeinend, denn er wusst' es wohl.
Doch schnell besonnen ich entgegn' ihm so:
„Dies Haus, Herr Vogt, ist meines Herrn des Kaisers
Und Eures und mein Lehen" – Da versetzt' er:
„Ich bin Regent an Kaisers statt
Und will nicht, dass der Bauer Häuser baue
Auf seine eigne Hand und also frei
Hinleb, als ob er Herr wär in dem Lande,
Ich werd mich unterstehn, Euch das zu wehren."
Dies sagend, ritt er trutziglich von dannen,
Ich aber blieb mit kummervoller Seele,
Das Wort bedenkend, das der Böse sprach.
GERTRUD. Mein lieber Herr und Ehewirt! Magst du
Ein redlich Wort von deinem Weib vernehmen?
Des edeln Ibergs Tochter rühm ich mich,
Des viel erfahrnen Manns. Wir Schwestern saßen,
Die Wolle spinnend, in den langen Nächten,
Wenn bei dem Vater sich des Volkes Häupter
Versammelten, die Pergamente lasen
Der alten Kaiser, und des Landes Wohl
Bedachten in vernünftigem Gespräch.
Aufmerkend hört' ich da manch kluges Wort,
Was der Verständ'ge denkt, der Gute wünscht,
Und still im Herzen hab ich mir's bewahrt.
So höre denn und acht auf meine Rede,
Denn was dich presste, sieh, das wusst' ich längst.
– Dir grollt der Landvogt, möchte gern dir schaden,
Denn du bist ihm ein Hindernis, dass sich
Der Schwyzer nicht dem neuen Fürstenhaus
Will unterwerfen, sondern treu und fest
Beim Reich beharren, wie die würdigen
Altvordern es gehalten und getan. –
Ist's nicht so, Werner? Sag es, wenn ich lüge!
STAUFFACHER. So ist's, das ist des Geßlers Groll auf mich.
GERTRUD. Er ist dir neidisch, weil du glücklich wohnst,
Ein freier Mann auf deinem eignen Erb,
– Denn er hat keins. Vom Kaiser selbst und Reich
Trägst du dies Haus zu Lehn; du darfst es zeigen,
So gut der Reichsfürst seine Länder zeigt;

Pergamente auf Pergament geschriebene Urkunden

Denn über dir erkennst du keinen Herrn
Als nur den Höchsten in der Christenheit –
Er ist ein jüngrer Sohn nur seines Hauses,
Nichts nennt er sein als seinen Rittermantel,
Drum sieht er jedes Biedermannes Glück
Mit scheelen Augen gift'ger Missgunst an.
Dir hat er längst den Untergang geschworen –
Noch stehst du unversehrt – Willst du erwarten,
Bis er die böse Lust an dir gebüßt?
Der kluge Mann baut vor.
STAUFFACHER. Was ist zu tun!
GERTRUD *(tritt näher).*
So höre meinen Rat! Du weißt, wie hier
Zu Schwyz sich alle Redlichen beklagen
Ob dieses Landvogts Geiz und Wüterei.
So zweifle nicht, dass sie dort drüben auch
In Unterwalden und im Urner Land
Des Dranges müd sind und des harten Jochs –
Denn, wie der Geßler hier, so schafft es frech
Der Landenberger drüben überm See –
Es kommt kein Fischerkahn zu uns herüber,
Der nicht ein neues Unheil und Gewalt-
Beginnen von den Vögten uns verkündet.
Drum tät es gut, dass eurer etliche,
Die's redlich meinen, still zu Rate gingen,
Wie man des Drucks sich möcht erledigen;
So acht ich wohl, Gott würd euch nicht verlassen
Und der gerechten Sache gnädig sein –
Hast du in Uri keinen Gastfreund, sprich,
Dem du dein Herz magst redlich offenbaren?
STAUFFACHER. Der wackern Männer kenn ich viele dort,
Und angesehen große Herrenleute,
Die mir geheim sind und gar wohl vertraut.
(Er steht auf.)
Frau, welchen Sturm gefährlicher Gedanken
Weckst du mir in der stillen Brust! Mein Innerstes
Kehrst du ans Licht des Tages mir entgegen,
Und was ich mir zu denken still verbot,
Du sprichst's mit leichter Zunge kecklich aus.
– Hast du auch wohl bedacht, was du mir rätst?
Die wilde Zwietracht und den Klang der Waffen
Rufst du in dieses friedgewohnte Tal. –
Wir wagten es, ein schwaches Volk der Hirten,

erledigen
entledigen

In Kampf zu gehen mit dem Herrn der Welt?
Der gute Schein nur ist's, worauf sie warten,
Um loszulassen auf dies arme Land
Die wilden Horden ihrer Kriegesmacht,
Darin zu schalten mit des Siegers Rechten
Und unterm Schein gerechter Züchtigung
Die alten Freiheitsbriefe zu vertilgen.

GERTRUD. Ihr seid auch Männer, wisset eure Axt
Zu führen, und dem Mutigen hilft Gott!

STAUFFACHER.
O Weib! Ein furchtbar wütend Schrecknis ist
Der Krieg, die Herde schlägt er und den Hirten.

GERTRUD. Ertragen muss man, was der Himmel sendet,
Unbilliges erträgt kein edles Herz.

STAUFFACHER.
Dies Haus erfreut dich, was wir neu erbauten.
Der Krieg, der ungeheure, brennt es nieder.

GERTRUD. Wüsst ich mein Herz an zeitlich Gut gefesselt,
Den Brand wärf ich hinein mit eigner Hand.

STAUFFACHER.
Du glaubst an Menschlichkeit! Es schont der Krieg
Auch nicht das zarte Kindlein in der Wiege.

GERTRUD. Die Unschuld hat im Himmel einen Freund!
– Sieh vorwärts, Werner, und nicht hinter dich.

STAUFFACHER. Wir Männer können tapfer fechtend sterben,
Welch Schicksal aber wird das eure sein?

GERTRUD. Die letzte Wahl steht auch dem Schwächsten offen,
Ein Sprung von dieser Brücke macht mich frei.

STAUFFACHER *(stürzt in ihre Arme).*
Wer solch ein Herz an seinen Busen drückt,
Der kann für Herd und Hof mit Freuden fechten,
Und keines Königs Heermacht fürchtet er. –
Nach Uri fahr ich steh'nden Fußes gleich,
Dort lebt ein Gastfreund mir, Herr Walter Fürst,
Der über diese Zeiten denkt wie ich.
Auch find ich dort den edlen Bannerherrn
Von Attinghaus – obgleich von hohem Stamm,
Liebt er das Volk und ehrt die alten Sitten.
Mit ihnen beiden pfleg ich Rats, wie man
Der Landesfeinde mutig sich erwehrt.
Leb wohl – und weil ich fern bin, führe du
Mit klugem Sinn das Regiment des Hauses –
Dem Pilger, der zum Gotteshause wallt,

Dem frommen Mönch, der für sein Kloster sammelt,
Gib reichlich und entlass ihn wohl gepflegt.
Stauffachers Haus verbirgt sich nicht. Zu äußerst
Am offnen Heerweg steht's, ein wirtlich Dach
Für alle Wandrer, die des Weges fahren.

Indem sie nach dem Hintergrund abgehen, tritt Wilhelm Tell mit Baumgarten vorn auf die Szene.

TELL *(zu Baumgarten).*
Ihr habt jetzt meiner weiter nicht vonnöten,
Zu jenem Hause gehet ein, dort wohnt
Der Stauffacher, ein Vater der Bedrängten.
– Doch sieh, da ist er selber – Folgt mir, kommt!

(Gehen auf ihn zu, die Szene verwandelt sich.)

DRITTE SZENE

Öffentlicher Platz bei Altdorf.

Altdorf Hauptort von Uri

Auf einer Anhöhe im Hintergrund sieht man eine Feste bauen, welche schon so weit gediehen, dass sich die Form des Ganzen darstellt. Die hintere Seite ist fertig, an der vordern wird eben gebaut, das Gerüste steht noch, an welchem die Werkleute auf- und niedersteigen; auf dem höchsten Dach hängt der Schieferdecker. – Alles ist in Bewegung und Arbeit.

Fronvogt. Meister Steinmetz. Gesellen und Handlanger.

FRONVOGT *(mit dem Stabe, treibt die Arbeiter).*
Nicht lang gefeiert, frisch! Die Mauersteine
Herbei, den Kalk, den Mörtel zugefahren!
Wenn der Herr Landvogt kommt, dass er das Werk
Gewachsen sieht – Das schlendert wie die Schnecken.

(Zu zwei Handlangern, welche tragen.)

Heißt das geladen? Gleich das Doppelte!
Wie die Tagdiebe ihre Pflicht bestehlen!
ERSTER GESELL. Das ist doch hart, dass wir die Steine selbst
Zu unserm Twing und Kerker sollen fahren!

Twing Zwing(burg)

FRONVOGT. Was murret ihr? Das ist ein schlechtes Volk,
Zu nichts anstellig, als das Vieh zu melken
Und faul herumzuschlendern auf den Bergen.
ALTER MANN *(ruht aus).* Ich kann nicht mehr.

FRONVOGT *(schüttelt ihn).* Frisch, Alter, an die Arbeit!
ERSTER GESELL. Habt Ihr denn gar kein Eingeweid, dass Ihr
Den Greis, der kaum sich selber schleppen kann,
Zum harten Frondienst treibt?
MEISTER STEINMETZ und GESELLEN.
's ist himmelschreiend!
FRONVOGT. Sorgt ihr für euch; ich tu, was meines Amts.
ZWEITER GESELL.
Fronvogt, wie wird die Feste denn sich nennen,
Die wir da baun?
FRONVOGT. Zwing Uri soll sie heißen,
Denn unter dieses Joch wird man euch beugen.
GESELLEN. Zwing Uri!
FRONVOGT. Nun, was gibt's dabei zu lachen?
ZWEITER GESELL.
Mit diesem Häuslein wollt Ihr Uri zwingen?
ERSTER GESELL.
Lasst sehn, wie viel man solcher Maulwurfshaufen
Muss über'nandersetzen, bis ein Berg
Draus wird, wie der geringste nur in Uri!
(Fronvogt geht nach dem Hintergrund.)
MEISTER STEINMETZ.
Den Hammer werf ich in den tiefsten See,
Der mir gedient bei diesem Fluchgebäude!
Tell und Stauffacher kommen.
STAUFFACHER. O hätt ich nie gelebt, um das zu schauen!
TELL. Hier ist nicht gut sein, lasst uns weitergehn.
STAUFFACHER. Bin ich zu Uri, in der Freiheit Land?
MEISTER STEINMETZ.
O Herr, wenn Ihr die Keller erst gesehn
Unter den Türmen! Ja, wer die bewohnt,
Der wird den Hahn nicht fürder krähen hören!
STAUFFACHER. O Gott!
MEISTER STEINMETZ.
Seht diese Flanken, diese Strebepfeiler,
Die stehn wie für die Ewigkeit gebaut.
TELL. Was Hände bauten, können Hände stürzen.
(Nach den Bergen zeigend.)
Das Haus der Freiheit hat uns Gott gegründet.
(Man hört eine Trommel, es kommen Leute, die einen Hut auf einer Stange tragen, ein Ausrufer folgt ihnen, Weiber und Kinder dringen tumultuarisch nach.)
ERSTER GESELL. Was will die Trommel? Gebet Acht!

tumultuarisch *(lat.)* stürmisch, lärmend

MEISTER STEINMETZ. Was für
Ein Fastnachtsaufzug, und was soll der Hut?
AUSRUFER. In des Kaisers Namen! Höret!
GESELLEN. Still doch! Höret!
AUSRUFER. Ihr sehet diesen Hut, Männer von Uri!
Aufrichten wird man ihn auf hoher Säule,
Mitten in Altdorf, an dem höchsten Ort,
Und dieses ist des Landvogts Will und Meinung:
Dem Hut soll gleiche Ehre wie ihm selbst geschehn,
Man soll ihn mit gebognem Knie und mit
Entblößtem Haupt verehren – Daran will
Der König die Gehorsamen erkennen.
Verfallen ist mit seinem Leib und Gut
Dem Könige, wer das Gebot verachtet.
(Das Volk lacht laut auf, die Trommel wird gerührt,
sie gehen vorüber.)
ERSTER GESELL. Welch neues Unerhörtes hat der Vogt
Sich ausgesonnen? Wir 'nen Hut verehren!
Sagt! Hat man je vernommen von dergleichen?
MEISTER STEINMETZ. Wir unsre Kniee beugen einem Hut!
Treibt er sein Spiel mit ernsthaft würd'gen Leuten?
ERSTER GESELL. Wär's noch die kaiserliche Kron! So ist's
Der Hut von Österreich, ich sah ihn hangen
Über dem Thron, wo man die Lehen gibt!
MEISTER STEINMETZ.
Der Hut von Österreich! Gebt Acht, es ist
Ein Fallstrick, uns an Östreich zu verraten!
GESELLEN. Kein Ehrenmann wird sich der Schmach bequemen.
MEISTER STEINMETZ.
Kommt, lasst uns mit den andern Abred nehmen.
(Sie gehen nach der Tiefe.)
TELL *(zum Stauffacher).*
Ihr wisset nun Bescheid. Lebt wohl, Herr Werner!
STAUFFACHER. Wo wollt Ihr hin? O eilt nicht so von dannen.
TELL. Mein Haus entbehrt des Vaters. Lebet wohl.
STAUFFACHER. Mir ist das Herz so voll, mit Euch zu reden.
TELL. Das schwere Herz wird nicht durch Worte leicht.
STAUFFACHER. Doch könnten Worte uns zu Taten führen.
TELL. Die einz'ge Tat ist jetzt Geduld und Schweigen.
STAUFFACHER. Soll man ertragen, was unleidlich ist?
TELL. Die schnellen Herrscher sind's, die kurz regieren.
– Wenn sich der Föhn erhebt aus seinen Schlünden,
Löscht man die Feuer aus, die Schiffe suchen

Eilends den Hafen, und der mächt'ge Geist
Geht ohne Schaden, spurlos, über die Erde.
Ein jeder lebe still bei sich daheim,
Dem Friedlichen gewährt man gern den Frieden.
STAUFFACHER. Meint Ihr?
TELL. Die Schlange sticht nicht ungereizt.
Sie werden endlich doch von selbst ermüden,
Wenn sie die Lande ruhig bleiben sehn.
STAUFFACHER.
Wir könnten viel, wenn wir zusammenstünden.
TELL. Beim Schiffbruch hilft der Einzelne sich leichter.
STAUFFACHER. So kalt verlasst Ihr die gemeine Sache?
TELL. Ein jeder zählt nur sicher auf sich selbst.
STAUFFACHER.
Verbunden werden auch die Schwachen mächtig.
TELL. Der Starke ist am mächtigsten allein.
STAUFFACHER.
So kann das Vaterland auf Euch nicht zählen,
Wenn es verzweiflungsvoll zur Notwehr greift?
TELL *(gibt ihm die Hand).*
Der Tell holt ein verlornes Lamm vom Abgrund
Und sollte seinen Freunden sich entziehen?
Doch was ihr tut, lasst mich aus eurem Rat,
Ich kann nicht lange prüfen oder wählen;
Bedürft ihr meiner zu bestimmter Tat,
Dann ruft den Tell, es soll an mir nicht fehlen.
(Gehen ab zu verschiedenen Seiten. Ein plötzlicher Auflauf entsteht um das Gerüste.)
MEISTER STEINMETZ *(eilt hin).* Was gibt's?
ERSTER GESELL *(kommt vor, rufend).*
Der Schieferdecker ist vom Dach gestürzt.
Berta mit Gefolge.
BERTA *(stürzt herein).*
Ist er zerschmettert? Rennet, rettet, helft –
Wenn Hilfe möglich, rettet, hier ist Gold –
(Wirft ihr Geschmeide unter das Volk.)
MEISTER. Mit eurem Golde – Alles ist euch feil
Um Gold; wenn ihr den Vater von den Kindern
Gerissen und den Mann von seinem Weibe
Und Jammer habt gebracht über die Welt,
Denkt ihr mit Golde zu vergüten – Geht!
Wir waren frohe Menschen, eh ihr kamt,
Mit euch ist die Verzweiflung eingezogen.

BERTA *(zu dem Fronvogt, der zurückkommt).*
Lebt er?
(Fronvogt gibt ein Zeichen des Gegenteils.)
O unglücksel'ges Schloss, mit Flüchen
Erbaut, und Flüche werden dich bewohnen! *(Geht ab.)*

VIERTE SZENE

Walter Fürsts Wohnung.

Walter Fürst und Arnold vom Melchtal treten zugleich ein, von verschiedenen Seiten.

MELCHTAL. Herr Walter Fürst –
WALTER FÜRST. Wenn man uns überraschte!
Bleibt, wo Ihr seid. Wir sind umringt von Spähern.
MELCHTAL. Bringt Ihr mir nichts von Unterwalden? Nichts
Von meinem Vater? Nicht ertrag ich's länger,
Als ein Gefangner müßig hier zu liegen.
Was hab ich denn so Sträfliches getan,
Um mich gleich einem Mörder zu verbergen?
Dem frechen Buben, der die Ochsen mir,
Das trefflichste Gespann, vor meinen Augen
Weg wollte treiben auf des Vogts Geheiß,
Hab ich den Finger mit dem Stab gebrochen.
WALTER FÜRST. Ihr seid zu rasch. Der Bube war des Vogts,
Von Eurer Obrigkeit war er gesendet,
Ihr wart in Straf gefallen, musstet Euch,
Wie schwer sie war, der Buße schweigend fügen.
MELCHTAL. Ertragen sollt' ich die leichtfert'ge Rede
Des Unverschämten: „Wenn der Bauer Brot
Wollt essen, mög er selbst am Pfluge ziehn!"
In die Seele schnitt mir's, als der Bub die Ochsen,
Die schönen Tiere, von dem Pfluge spannte;
Dumpf brüllten sie, als hätten sie Gefühl
Der Ungebühr, und stießen mit den Hörnern –
Da übernahm mich der gerechte Zorn,
Und meiner selbst nicht Herr, schlug ich den Boten.
WALTER FÜRST. Oh, kaum bezwingen wir das eigne Herz,
Wie soll die rasche Jugend sich bezähmen!
MELCHTAL. Mich jammert nur der Vater – Er bedarf
So sehr der Pflege, und sein Sohn ist fern.

Der Vogt ist ihm gehässig, weil er stets
Für Recht und Freiheit redlich hat gestritten.
Drum werden sie den alten Mann bedrängen,
Und niemand ist, der ihn vor Unglimpf schütze.
– Werde mit mir, was will, ich muss hinüber.
WALTER FÜRST. Erwartet nur und fasst Euch in Geduld,
Bis Nachricht uns herüberkommt vom Walde.
– Ich höre klopfen, geht! – Vielleicht ein Bote
Vom Landvogt – Geht hinein – Ihr seid in Uri
Nicht sicher vor des Landenbergers Arm,
Denn die Tyrannen reichen sich die Hände.
MELCHTAL. Sie lehren uns, was wir tun sollten.
WALTER FÜRST. Geht!
Ich ruf Euch wieder, wenn's hier sicher ist.
(Melchtal geht hinein.)
Der Unglückselige, ich darf ihm nicht
Gestehen, was mir Böses schwant – Wer klopft?
Sooft die Türe rauscht, erwart ich Unglück.
Verrat und Argwohn lauscht in allen Ecken,
Bis in das Innerste der Häuser dringen
Die Boten der Gewalt; bald tät es Not,
Wir hätten Schloss und Riegel an den Türen.
Er öffnet und tritt erstaunt zurück,
da Werner Stauffacher hereintritt.
Was seh ich? Ihr, Herr Werner! Nun, bei Gott,
Ein werter, teurer Gast – Kein bess'rer Mann
Ist über diese Schwelle noch gegangen.
Seid hochwillkommen unter meinem Dach!
Was führt Euch her? Was sucht Ihr hier in Uri?
STAUFFACHER *(ihm die Hand reichend).*
Die alten Zeiten und die alte Schweiz.
WALTER FÜRST.
Die bringt Ihr mit Euch – Sieh, mir wird so wohl,
Warm geht das Herz mir auf bei Eurem Anblick.
– Setzt Euch, Herr Werner – Wie verließet Ihr
Frau Gertrud, Eure angenehme Wirtin,
Des weisen Ibergs hochverständ'ge Tochter?
Von allen Wandrern aus dem deutschen Land,
Die über Meinrads Zell nach Welschland fahren,
Rühmt jeder Euer gastlich Haus – Doch sagt,
Kommt Ihr soeben frisch von Flüelen her,
Und habt Euch nirgends sonst noch umgesehn,
Eh Ihr den Fuß gesetzt auf diese Schwelle?

vom Walde aus Unterwalden

← **Welschland** Italien

STAUFFACHER *(setzt sich).*
Wohl ein erstaunlich neues Werk hab ich
Bereiten sehen, das mich nicht erfreute.
WALTER FÜRST.
O Freund, da habt ihr's gleich mit einem Blicke!
STAUFFACHER. Ein solches ist in Uri nie gewesen. –
Seit Menschendenken war kein Twinghof hier,
Und fest war keine Wohnung als das Grab.
WALTER FÜRST.
Ein Grab der Freiheit ist's. Ihr nennt's mit Namen.
STAUFFACHER.
Herr Walter Fürst, ich will Euch nicht verhalten:
Nicht eine müß'ge Neugier führt mich her,
Mich drücken schwere Sorgen – Drangsal hab ich
Zu Haus verlassen, Drangsal find ich hier.
Denn ganz unleidlich ist's, was wir erdulden,
Und dieses Dranges ist kein Ziel zu sehn.
Frei war der Schweizer von uralters her,
Wir sind's gewohnt, dass man uns gut begegnet –
Ein solches war im Lande nie erlebt,
Solang ein Hirte trieb auf diesen Bergen.
WALTER FÜRST. Ja, es ist ohne Beispiel, wie sie's treiben!
Auch unser edler Herr von Attinghausen,
Der noch die alten Zeiten hat gesehn,
Meint selber, es sei nicht mehr zu ertragen.
STAUFFACHER.
Auch drüben unterm Wald geht Schweres vor,
Und blutig wird's gebüßt – Der Wolfenschießen,
Des Kaisers Vogt, der auf dem Rossberg hauste,
Gelüsten trug er nach verbotner Frucht;
Baumgartens Weib, das haushält zu Alzellen,
Wollt' er zu frecher Ungebühr missbrauchen,
Und mit der Axt hat ihn der Mann erschlagen.
WALTER FÜRST. Oh, die Gerichte Gottes sind gerecht!
– Baumgarten, sagt Ihr? Ein bescheidner Mann!
Er ist gerettet doch und wohl geborgen?
STAUFFACHER. Euer Eidam hat ihn übern See geflüchtet,
Bei mir zu Steinen halt ich ihn verborgen.
– Noch Gräulichers hat mir derselbe Mann
Berichtet, was zu Sarnen ist geschehn,
Das Herz muss jedem Biedermanne bluten.
WALTER FÜRST *(aufmerksam).*
Sagt an, was ist's?

Sarnen
Hauptort von Unterwalden mit Landenbergs Burg

Melchtal und **Kerns** Ortschaften bei Sarnen

STAUFFACHER. Im Melchtal, da wo man
Eintritt bei Kerns, wohnt ein gerechter Mann,
Sie nennen ihn den Heinrich von der Halden,
Und seine Stimm gilt was in der Gemeinde.
WALTER FÜRST.
Wer kennt ihn nicht! Was ist's mit ihm? Vollendet.
STAUFFACHER. Der Landenberger büßte seinen Sohn
Um kleinen Fehlers willen, ließ die Ochsen,
Das beste Paar, ihm aus dem Pfluge spannen,
Da schlug der Knab den Knecht und wurde flüchtig.
WALTER FÜRST *(in höchster Spannung).*
Der Vater aber – Sagt, wie steht's um den?
STAUFFACHER. Den Vater lässt der Landenberger fordern,
Zur Stelle schaffen soll er ihm den Sohn,
Und da der alte Mann mit Wahrheit schwört,
Er habe von dem Flüchtling keine Kunde,
Da lässt der Vogt die Folterknechte kommen –
WALTER FÜRST *(springt auf und will ihn auf die andere Seite führen).* O still, nichts mehr!
STAUFFACHER *(mit steigendem Ton).*
„Ist mir der Sohn entgangen,
So hab ich dich!" – Lässt ihn zu Boden werfen,
Den spitz'gen Stahl ihm in die Augen bohren –
WALTER FÜRST. Barmherz'ger Himmel!
MELCHTAL *(stürzt heraus).* In die Augen, sagt Ihr?
STAUFFACHER *(erstaunt zu Walter Fürst).*
Wer ist der Jüngling?
MELCHTAL *(fasst ihn mit krampfhafter Heftigkeit).*
In die Augen? Redet!
WALTER FÜRST. Oh, der Bejammernswürdige!
STAUFFACHER. Wer ist's?
(Da Walter Fürst ein Zeichen gibt.)
Der Sohn ist's? Allgerechter Gott!
MELCHTAL. Und ich
Muss ferne sein! – In seine beiden Augen?
WALTER FÜRST. Bezwinget Euch, ertragt es wie ein Mann!
MELCHTAL.
Um meiner Schuld, um meines Frevels willen!
– Blind also? Wirklich blind, und ganz geblendet?
STAUFFACHER.
Ich sagt's. Der Quell des Sehns ist ausgeflossen,
Das Licht der Sonne schaut er niemals wieder.
WALTER FÜRST. Schont seines Schmerzes!

MELCHTAL. Niemals! Niemals wieder!
(Er drückt die Hand vor die Augen und schweigt einige Momente, dann wendet er sich von dem einen zu dem andern und spricht mit sanfter, von Tränen erstickter Stimme.)
Oh, eine edle Himmelsgabe ist
Das Licht des Auges – Alle Wesen leben
Vom Lichte, jedes glückliche Geschöpf –
Die Pflanze selbst kehrt freudig sich zum Lichte.
Und er muss sitzen, fühlend, in der Nacht,
Im ewig Finstern – ihn erquickt nicht mehr
Der Matten warmes Grün, der Blumen Schmelz,
Die roten Firnen kann er nicht mehr schauen –
Sterben ist nichts – doch leben und nicht sehen,
Das ist ein Unglück. – Warum seht ihr mich
So jammernd an? Ich hab zwei frische Augen
Und kann dem blinden Vater keines geben,
Nicht einen Schimmer von dem Meer des Lichts,
Das glanzvoll, blendend mir ins Auge dringt.
STAUFFACHER. Ach, ich muss Euren Jammer noch vergrößern,
Statt ihn zu heilen – Er bedarf noch mehr!
Denn alles hat der Landvogt ihm geraubt,
Nichts hat er ihm gelassen als den Stab,
Um nackt und blind von Tür zu Tür zu wandern.
MELCHTAL. Nichts als den Stab dem augenlosen Greis!
Alles geraubt und auch das Licht der Sonne,
Des Ärmsten allgemeines Gut – Jetzt rede
Mir keiner mehr von Bleiben, von Verbergen!
Was für ein feiger Elender bin ich,
Dass ich auf meine Sicherheit gedacht
Und nicht auf deine! – dein geliebtes Haupt
Als Pfand gelassen in des Wütrichs Händen!
Feigherz'ge Vorsicht, fahre hin – Auf nichts
Als blutige Vergeltung will ich denken,
Hinüber will ich – Keiner soll mich halten –
Des Vaters Auge von dem Landvogt fordern –
Aus allen seinen Reisigen heraus
Will ich ihn finden – Nichts liegt mir am Leben,
Wenn ich den heißen, ungeheuren Schmerz
In seinem Lebensblute kühle. *(Er will gehen.)*
WALTER FÜRST. Bleibt!
Was könnt Ihr gegen ihn? Er sitzt zu Sarnen
Auf seiner hohen Herrenburg und spottet
Ohnmächt'gen Zorns in seiner sichern Feste.

MELCHTAL. Und wohnt' er droben auf dem Eispalast
Des Schreckhorns oder höher, wo die Jungfrau
Seit Ewigkeit verschleiert sitzt – ich mache
Mir Bahn zu ihm; mit zwanzig Jünglingen,
Gesinnt wie ich, zerbrech ich seine Feste.
Und wenn mir niemand folgt, und wenn ihr alle,
Für eure Hütten bangt und eure Herden,
Euch dem Tyrannenjoche beugt – die Hirten
Will ich zusammenrufen im Gebirg,
Dort, unterm freien Himmelsdache, wo
Der Sinn noch frisch ist und das Herz gesund,
Das ungeheuer Grässliche erzählen.
STAUFFACHER *(zu Walter Fürst).*
Es ist auf seinem Gipfel – wollen wir
Erwarten, bis das Äußerste –
MELCHTAL. Welch Äußerstes
Ist noch zu fürchten, wenn der Stern des Auges
In seiner Höhle nicht mehr sicher ist?
– Sind wir denn wehrlos? Wozu lernten wir
Die Armbrust spannen und die schwere Wucht
Der Streitaxt schwingen? Jedem Wesen ward
Ein Notgewehr in der Verzweiflungsangst;
Es stellt sich der erschöpfte Hirsch und zeigt
Der Meute sein gefürchtetes Geweih,
Die Gämse reißt den Jäger in den Abgrund –
Der Pflugstier selbst, der sanfte Hausgenoss
Des Menschen, der die ungeheure Kraft
Des Halses duldsam unters Joch gebogen,
Springt auf, gereizt, wetzt sein gewaltig Horn
Und schleudert seinen Feind den Wolken zu.
WALTER FÜRST. Wenn die drei Lande dächten wie wir drei,
So möchten wir vielleicht etwas vermögen.
STAUFFACHER. Wenn Uri ruft, wenn Unterwalden hilft,
Der Schwyzer wird die alten Bünde ehren.
MELCHTAL. Groß ist in Unterwalden meine Freundschaft,
Und jeder wagt mit Freuden Leib und Blut,
Wenn er am andern einen Rücken hat
Und Schirm – O fromme Väter dieses Landes!
Ich stehe nur ein Jüngling zwischen euch,
Den viel Erfahrnen – meine Stimme muss
Bescheiden schweigen in der Landsgemeinde.
Nicht, weil ich jung bin und nicht viel erlebte,
Verachtet meinen Rat und meine Rede;

Nicht lüstern jugendliches Blut, mich treibt
Des höchsten Jammers schmerzliche Gewalt,
Was auch den Stein des Felsen muss erbarmen.
Ihr selbst seid Väter, Häupter eines Hauses,
Und wünscht euch einen tugendhaften Sohn,
Der eures Hauptes heil'ge Locken ehre
Und euch den Stern des Auges fromm bewache.
Oh, weil ihr selbst an eurem Leib und Gut
Noch nichts erlitten, eure Augen sich
Noch frisch und hell in ihren Kreisen regen,
So sei euch darum unsre Not nicht fremd.
Auch über euch hängt das Tyrannenschwert,
Ihr habt das Land von Östreich abgewendet;
Kein anderes war meines Vaters Unrecht,
Ihr seid in gleicher Mitschuld und Verdammnis.
STAUFFACHER *(zu Walter Fürst).*
Beschließet Ihr, ich bin bereit zu folgen.
WALTER FÜRST. Wir wollen hören, was die edeln Herrn
Von Sillinen, von Attinghausen raten –
Ihr Name, denk ich, wird uns Freunde werben.
MELCHTAL. Wo ist ein Name in dem Waldgebirg
Ehrwürdiger als Eurer und der Eure?
An solcher Namen echte Währung glaubt
Das Volk, sie haben guten Klang im Lande.
Ihr habt ein reiches Erb von Vätertugend
Und habt es selber reich vermehrt – Was braucht's
Des Edelmanns? Lasst's uns allein vollenden.
Wären wir doch allein im Land! Ich meine,
Wir wollten uns schon selbst zu schirmen wissen.
STAUFFACHER. Die Edeln drängt nicht gleiche Not mit uns;
Der Strom, der in den Niederungen wütet,
Bis jetzt hat er die Höh'n noch nicht erreicht –
Doch ihre Hilfe wird uns nicht entstehn,
Wenn sie das Land in Waffen erst erblicken.
WALTER FÜRST.
Wäre ein Obmann zwischen uns und Östreich,
So möchte Recht entscheiden und Gesetz,
Doch, der uns unterdrückt, ist unser Kaiser
Und höchster Richter – so muss Gott uns helfen
Durch unsern Arm – Erforschet Ihr die Männer
Von Schwyz, ich will in Uri Freunde werben.
Wen aber senden wir nach Unterwalden –?
MELCHTAL. Mich sendet hin – wem läg es näher an –

Sillinen Silenen, Ortschaft in Uri

WALTER FÜRST.
Ich geb's nicht zu, Ihr seid mein Gast, ich muss
Für Eure Sicherheit gewähren!
MELCHTAL. Lasst mich!
Die Schliche kenn ich und die Felsensteige,
Auch Freunde find ich g'nug, die mich dem Feind
Verhehlen und ein Obdach gern gewähren.
STAUFFACHER.
Lasst ihn mit Gott hinübergehn. Dort drüben
Ist kein Verräter – so verabscheut ist
Die Tyrannei, dass sie kein Werkzeug findet.
Auch der Alzeller soll uns nid dem Wald
Genossen werben und das Land erregen.

← **der Alzeller** Baumgarten

MELCHTAL. Wie bringen wir uns sichre Kunde zu,
Dass wir den Argwohn der Tyrannen täuschen?
STAUFFACHER. Wir könnten uns zu Brunnen oder Treib
Versammeln, wo die Kaufmannsschiffe landen.
WALTER FÜRST.
So offen dürfen wir das Werk nicht treiben.
– Hört meine Meinung. Links am See, wenn man
Nach Brunnen fährt, dem Mythenstein grad über,
Liegt eine Matte heimlich im Gehölz,
Das Rütli heißt sie bei dem Volk der Hirten,
Weil dort die Waldung ausgereutet ward.
Dort ist's, wo unsre Landmark und die Eure *(zu Melchtal)*
Zusammengrenzen, und in kurzer Fahrt *(zu Stauffacher)*
Trägt Euch der leichte Kahn von Schwyz herüber.
Auf öden Pfaden können wir dahin
Bei Nachtzeit wandern und uns still beraten.
Dahin mag jeder zehn vertraute Männer
Mitbringen, die herzeinig sind mit uns,
So können wir gemeinsam das Gemeine
Besprechen und mit Gott es frisch beschließen.
STAUFFACHER. So sei's. Jetzt reicht mir Eure biedre Rechte,
Reicht Ihr die Eure her, und so wie wir
D r e i M ä n n e r jetzo unter uns die Hände
Zusammenflechten, redlich, ohne Falsch,
So wollen wir d r e i L ä n d e r auch zu Schutz
Und Trutz zusammenstehn auf Tod und Leben.
WALTER FÜRST und MELCHTAL.
Auf Tod und Leben!
(Sie halten die Hände noch einige Pausen lang zusammengeflochten und schweigen.)

MELCHTAL. Blinder alter Vater!
Du kannst den Tag der Freiheit nicht mehr schauen,
Du sollst ihn hören – Wenn von Alp zu Alp
Die Feuerzeichen flammend sich erheben,
Die festen Schlösser der Tyrannen fallen,
In deine Hütte soll der Schweizer wallen,
Zu deinem Ohr die Freudenkunde tragen,
Und hell in deiner Nacht soll es dir tagen!
(Sie gehen auseinander.)

ZWEITER AUFZUG

ERSTE SZENE

Edelhof des Freiherrn von Attinghausen.

Ein gotischer Saal, mit Wappenschildern und Helmen verziert. Der Freiherr, ein Greis von fünfundachtzig Jahren, von hoher, edler Statur, an einem Stabe, worauf ein Gemsenhorn, und in ein Pelzwams gekleidet. Kuoni und noch sechs Knechte stehen um ihn her mit Rechen und Sensen.

Ulrich von Rudenz tritt ein in Ritterkleidung.

RUDENZ. Hier bin ich, Oheim – Was ist Euer Wille?
ATTINGHAUSEN.
Erlaubt, dass ich nach altem Hausgebrauch
Den Frühtrunk erst mit meinen Knechten teile.
(Er trinkt aus einem Becher, der dann in der Reihe herumgeht.)
Sonst war ich selber mit in Feld und Wald,
Mit meinem Auge ihren Fleiß regierend,
Wie sie mein Banner führte in der Schlacht –
Jetzt kann ich nichts mehr als den Schaffner machen,
Und kommt die warme Sonne nicht zu mir,
Ich kann sie nicht mehr suchen auf den Bergen.
Und so in enger stets und engerm Kreis
Beweg ich mich dem engesten und letzten,
Wo alles Leben stillsteht, langsam zu –
Mein Schatte bin ich nur, bald nur mein Name.
KUONI *(zu Rudenz mit dem Becher).*
Ich bring's Euch, Junker.
(Da Rudenz zaudert, den Becher zu nehmen.)
Trinket frisch! Es geht
Aus einem Becher und aus einem Herzen.
ATTINGHAUSEN. Geht, Kinder, und wenn's Feierabend ist,
Dann reden wir auch von des Lands Geschäften.
(Knechte gehen ab.)
Attinghausen und Rudenz.
ATTINGHAUSEN. Ich sehe dich gegürtet und gerüstet,
Du willst nach Altdorf in die Herrenburg?
RUDENZ. Ja, Oheim, und ich darf nicht länger säumen –
ATTINGHAUSEN *(setzt sich).*
Hast du's so eilig? Wie? Ist deiner Jugend

Schaffner Aufseher, Verwalter

Die Zeit so karg gemessen, dass du sie
An deinem alten Oheim musst ersparen?
RUDENZ. Ich sehe, dass Ihr meiner nicht bedürft,
Ich bin ein Fremdling nur in diesem Hause.
ATTINGHAUSEN *(hat ihn lange mit den Augen gemustert).*
Ja, leider bist du's. Leider ist die Heimat
Zur Fremde dir geworden! – Uli! Uli!
Ich kenne dich nicht mehr. In Seide prangst du,
Die Pfauenfeder trägst du stolz zur Schau
Und schlägst den Purpurmantel um die Schultern,
Den Landmann blickst du mit Verachtung an
Und schämst dich seiner traulichen Begrüßung.
RUDENZ. Die Ehr, die ihm gebührt, geb ich ihm gern;
Das Recht, das er sich nimmt, verweigr' ich ihm.
ATTINGHAUSEN.
Das ganze Land liegt unterm schweren Zorn
Des Königs – Jedes Biedermannes Herz
Ist kummervoll ob der tyrannischen Gewalt,
Die wir erdulden – Dich allein rührt nicht
Der allgemeine Schmerz – Dich siehet man
Abtrünnig von den Deinen auf der Seite
Des Landesfeindes stehen, unsrer Not
Hohnsprechend nach der leichten Freude jagen
Und buhlen um die Fürstengunst, indes
Dein Vaterland von schwerer Geißel blutet.
RUDENZ.
Das Land ist schwer bedrängt – Warum, mein Oheim?
Wer ist's, der es gestürzt in diese Not?
Es kostete ein einzig leichtes Wort,
Um augenblicks des Dranges los zu sein
Und einen gnäd'gen Kaiser zu gewinnen.
Weh ihnen, die dem Volk die Augen halten,
Dass es dem wahren Besten widerstrebt!
Um eignen Vorteils willen hindern sie,
Dass die Waldstätte nicht zu Östreich schwören,
Wie ringsum alle Lande doch getan.
Wohl tut es ihnen, auf der Herrenbank
Zu sitzen mit dem Edelmann – den Kaiser
Will man zum Herrn, um keinen Herrn zu haben.
ATTINGHAUSEN.
Muss ich das hören und aus deinem Munde!
RUDENZ. Ihr habt mich aufgefordert, lasst mich enden.
– Welche Person ist's, Oheim, die Ihr selbst

Pfauenfeder und **Purpurmantel** österreichische Tracht

Hier spielt? Habt Ihr nicht höhern Stolz, als hier
Landammann oder Bannerherr zu sein
Und neben diesen Hirten zu regieren?
Wie? Ist's nicht eine rühmlichere Wahl,
Zu huldigen dem königlichen Herrn,
Sich an sein glänzend Lager anzuschließen,
Als Eurer eignen Knechte Pair zu sein
Und zu Gericht zu sitzen mit dem Bauer?
ATTINGHAUSEN. Ach, Uli! Uli! Ich erkenne sie,
Die Stimme der Verführung! Sie ergriff
Dein offnes Ohr, sie hat dein Herz vergiftet.
RUDENZ. Ja, ich verberg es nicht – in tiefer Seele
Schmerzt mich der Spott der Fremdlinge, die uns
Den Bauernadel schelten – Nicht ertrag ich's,
Indes die edle Jugend ringsumher
Sich Ehre sammelt unter Habsburgs Fahnen,
Auf meinem Erb hier müßig stillzuliegen
Und bei gemeinem Tagewerk den Lenz
Des Lebens zu verlieren – Anderswo
Geschehen Taten, eine Welt des Ruhms
Bewegt sich glänzend jenseits dieser Berge –
Mir rosten in der Halle Helm und Schild,
Der Kriegstrommete mutiges Getön,
Der Heroldsruf, der zum Turniere ladet,
Er dringt in diese Täler nicht herein,
Nichts als den Kuhreihn und der Herdeglocken
Einförmiges Geläut vernehm ich hier.
ATTINGHAUSEN. Verblendeter, vom eiteln Glanz verführt!
Verachte dein Geburtsland! Schäme dich
Der uralt frommen Sitten deiner Väter!
Mit heißen Tränen wirst du dich dereinst
Heimsehnen nach den väterlichen Bergen,
Und dieses Herdenreihens Melodie,
Die du in stolzem Überdruss verschmähst,
Mit Schmerzenssehnsucht wird sie dich ergreifen,
Wenn sie dir anklingt auf der fremden Erde.
O mächtig ist der Trieb des Vaterlands!
Die fremde falsche Welt ist nicht für dich,
Dort an dem stolzen Kaiserhof bleibst du
Dir ewig fremd mit deinem treuen Herzen!
Die Welt, sie fordert andre Tugenden,
Als du in diesen Tälern dir erworben.
– Geh hin, verkaufe deine freie Seele,

Landammann Landamtmann mit Gerichtsgewalt

Pair von par *(lateinisch)*: der Gleichgestellte

Kriegstrommete Kriegstrompete

Heroldsruf Herold = Festbote

Turnier *(franz.)* ritterlicher Wettkampf

Nimm Land und Lehen, werd ein Fürstenknecht,
Da du ein Selbstherr sein kannst und ein Fürst
Auf deinem eignen Erb und freien Boden.
Ach, Uli! Uli! Bleibe bei den Deinen!
Geh nicht nach Altdorf – O verlass sie nicht,
Die heil'ge Sache deines Vaterlands!
– Ich bin der Letzte meines Stammes. Mein Name
Endet mit mir. Da hängen Helm und Schild,
Die werden sie mir in das Grab mitgeben.
Und muss ich denken bei dem letzten Hauch,
Dass du mein brechend Auge nur erwartest,
Um hinzugehn vor diesen neuen Lehenhof
Und meine edeln Güter, die ich frei
Von Gott empfing, von Östreich zu empfangen!

RUDENZ. Vergebens widerstreben wir dem König,
Die Welt gehört ihm; wollen wir allein
Uns eigensinnig steifen und verstocken,
Die Länderkette ihm zu unterbrechen,
Die er gewaltig rings um uns gezogen?
S e i n sind die Märkte, die Gerichte, s e i n
Die Kaufmannsstraßen, und das Saumross selbst,
Das auf dem Gotthard ziehet, muss ihm zollen.
Von seinen Ländern wie mit einem Netz
Sind wir umgarnet rings und eingeschlossen.
– Wird uns das Reich beschützen? Kann es selbst
Sich schützen gegen Östreichs wachsende Gewalt?
Hilft Gott uns nicht, kein Kaiser kann uns helfen.
Was ist zu geben auf der Kaiser Wort,
Wenn sie in Geld- und Kriegesnot die Städte,
Die untern Schirm des Adlers sich geflüchtet,
Verpfänden dürfen und dem Reich veräußern?
– Nein, Oheim! Wohltat ist's und weise Vorsicht,
In diesen schweren Zeiten der Parteiung
Sich anzuschließen an ein mächtig Haupt.
Die Kaiserkrone geht von Stamm zu Stamm,
D i e hat für treue Dienste kein Gedächtnis.
Doch um den mächt'gen Erbherrn wohl verdienen,
Heißt Saaten in die Zukunft streun.

ATTINGHAUSEN. Bist du so weise?
Willst heller sehn als deine edeln Väter,
Die um der Freiheit kostbar'n Edelstein
Mit Gut und Blut und Heldenkraft gestritten?
– Schiff nach Luzern hinunter, frage d o r t,

Hochflug Birkhühner, Fasanen usw.

Hochgewild Hirsche, Wildschweine usw.

bannen jeden anderen von der Jagd ausschließen

Albrecht I. von Habsburg (reg. 1298–1308)

←

Wie Östreichs Herrschaft lastet auf den Ländern!
Sie werden kommen, unsre Schaf und Rinder
Zu zählen, unsre Alpen abzumessen,
Den Hochflug und das Hochgewilde bannen
In unsern freien Wäldern, ihren Schlagbaum
An unsre Brücken, unsre Tore setzen,
Mit unsrer Armut ihre Länderkäufe,
Mit unserm Blute ihre Kriege zahlen
– Nein, wenn wir unser Blut dran setzen sollen,
So sei's für uns – Wohlfeiler kaufen wir
Die Freiheit als die Knechtschaft ein!

RUDENZ. Was können wir,
Ein Volk der Hirten, gegen Albrechts Heere!

ATTINGHAUSEN.
Lern dieses Volk der Hirten kennen, Knabe!
Ich kenn's, ich hab es angeführt in Schlachten,
Ich hab es fechten sehen bei Favenz.
Sie sollen kommen, uns ein Joch aufzwingen,
Das wir entschlossen sind, nicht zu ertragen!
– O lerne fühlen, welches Stamms du bist!
Wirf nicht für eiteln Glanz und Flitterschein
Die echte Perle deines Wertes hin –
Das Haupt zu heißen eines freien Volks,
Das dir aus Liebe nur sich herzlich weiht,
Das treulich zu dir steht in Kampf und Tod –
Das sei dein Stolz, des Adels rühme dich –
Die angebornen Bande knüpfe fest,
Ans Vaterland, ans teure, schließ dich an,
Das halte fest mit deinem ganzen Herzen.
Hier sind die starken Wurzeln deiner Kraft;
Dort in der fremden Welt stehst du allein,
Ein schwankes Rohr, das jeder Sturm zerknickt.
O komm, du hast uns lang nicht mehr gesehn,
Versuch's mit uns nur einen Tag – nur heute
Geh nicht nach Altdorf – Hörst du? Heute nicht,
Den einen Tag nur schenke dich den Deinen!
(Er fasst seine Hand.)

RUDENZ.
Ich gab mein Wort – Lasst mich – Ich bin gebunden.

ATTINGHAUSEN *(lässt seine Hand los, mit Ernst).*
Du bist gebunden – Ja, Unglücklicher!
Du bist's, doch nicht durch Wort und Schwur,
Gebunden bist du durch der Liebe Seile!

(Rudenz wendet sich weg.)

– Verbirg dich, wie du willst. Das Fräulein ist's,
Berta von Bruneck, die zur Herrenburg
Dich zieht, dich fesselt an des Kaisers Dienst.
Das Ritterfräulein willst du dir erwerben
Mit deinem Abfall von dem Land – Betrüg dich nicht!
Dich anzulocken, zeigt man dir die Braut,
Doch deiner Unschuld ist sie nicht beschieden.

RUDENZ. Genug hab ich gehört. Gehabt Euch wohl.

(Er geht ab.)

ATTINGHAUSEN.
Wahnsinn'ger Jüngling, bleib! – Er geht dahin!
Ich kann ihn nicht erhalten, nicht erretten –
So ist der Wolfenschießen abgefallen
Von seinem Land – so werden andre folgen,
Der fremde Zauber reißt die Jugend fort,
Gewaltsam strebend über unsre Berge.
– O unglücksel'ge Stunde, da das Fremde
In diese still beglückten Täler kam,
Der Sitten fromme Unschuld zu zerstören!
– Das Neue dringt herein mit Macht, das Alte,
Das Würd'ge scheidet, andre Zeiten kommen,
Es lebt ein anders denkendes Geschlecht!
Was tu ich hier? Sie sind begraben alle,
Mit denen ich gewaltet und gelebt.
Unter der Erde schon liegt m e i n e Zeit;
Wohl dem, der mit der n e u e n nicht mehr braucht zu leben!

(Er geht ab.)

ZWEITE SZENE

Eine Wiese, von hohen Felsen und Wald umgeben.

Auf den Felsen sind Steige mit Geländern, auch Leitern, von denen man nachher die Landleute herabsteigen sieht. Im Hintergrunde zeigt sich der See, über welchem anfangs ein Mondregenbogen zu sehen ist. Den Prospekt schließen hohe Berge, hinter welchen noch höhere Eisgebirge ragen. Es ist völlig Nacht auf der Szene, nur der See und die weißen Gletscher leuchten im Mondenlicht.

Melchtal, Baumgarten, Winkelried, Meier von Sarnen, Burkhart am Bühel, Arnold von Sewa, Klaus von der Flüe und noch vier andere Landleute, alle bewaffnet.

Bühel Hügel

Flüe *(Fluh)* Felsenwand

MELCHTAL *(noch hinter der Szene).*
Der Bergweg öffnet sich, nur frisch mir nach!
Den Fels erkenn ich und das Kreuzlein drauf,
Wir sind am Ziel, hier ist das Rütli.
(Treten auf mit Windlichtern.)
WINKELRIED. Horch!
SEWA. Ganz leer.
MEIER. ’s ist noch kein Landmann da. Wir sind
Die Ersten auf dem Platz, wir Unterwaldner.
MELCHTAL. Wie weit ist’s in der Nacht?
BAUMGARTEN. Der Feuerwächter
Vom Selisberg hat eben Zwei gerufen.
(Man hört in der Ferne läuten.)
MEIER. Still! Horch!
AM BÜHEL. Das Mettenglöcklein in der Waldkapelle
Klingt hell herüber aus dem Schwyzerland.
VON DER FLÜE. Die Luft ist rein und trägt den Schall so weit.
MELCHTAL. Gehn einige und zünden Reisholz an,
Dass es loh brenne, wenn die Männer kommen.
(Zwei Landleute gehen.)
SEWA. ’s ist eine schöne Mondennacht. Der See
Liegt ruhig da als wie ein ebner Spiegel.
AM BÜHEL. Sie haben eine leichte Fahrt.
WINKELRIED *(zeigt nach dem See).* Ha, seht!
Seht dorthin! Seht ihr nichts?
MEIER. Was denn? – Ja wahrlich!
Ein Regenbogen mitten in der Nacht!
MELCHTAL. Es ist das Licht des Mondes, das ihn bildet.

Selisberg Dorf westlich über dem Rütli

Mettenglöcklein Mette = Frühmesse

VON DER FLÜE. Das ist ein seltsam wunderbares Zeichen!
Es leben viele, die das nicht gesehn.
SEWA. Er ist doppelt, seht, ein blässerer steht drüber.
BAUMGARTEN. Ein Nachen fährt soeben drunter weg.
MELCHTAL. Das ist der Stauffacher mit seinem Kahn,
Der Biedermann lässt sich nicht lang erwarten.
(Geht mit Baumgarten nach dem Ufer.)
MEIER. Die Urner sind es, die am längsten säumen.
AM BÜHEL. Sie müssen weit umgehen durchs Gebirg,
Dass sie des Landvogts Kundschaft hintergehen.
(Unterdessen haben die zwei Landleute in der Mitte des Platzes ein Feuer angezündet.)
MELCHTAL *(am Ufer)*.
Wer ist da? Gebt das Wort!
STAUFFACHER *(von unten)*. Freunde des Landes.
Alle gehen nach der Tiefe, den Kommenden entgegen. Aus dem Kahn steigen Stauffacher, Itel Reding, Hans auf der Mauer, Jörg im Hofe, Konrad Hunn, Ulrich der Schmied, Jost von Weiler und noch drei andere Landleute, gleichfalls bewaffnet.
ALLE *(rufen)*. Willkommen!
(Indem die Übrigen in der Tiefe verweilen und sich begrüßen, kommt Melchtal mit Stauffacher vorwärts.)
MELCHTAL. O Herr Stauffacher! Ich hab ihn
Gesehn, der mich nicht wieder sehen konnte!
Die Hand hab ich gelegt auf seine Augen,
Und glühend Rachgefühl hab ich gesogen
Aus der erloschnen Sonne seines Blicks.
STAUFFACHER.
Sprecht nicht von Rache. Nicht Geschehnes rächen,
Gedrohtem Übel wollen wir begegnen.
– Jetzt sagt, was Ihr im Unterwaldner Land
Geschafft und für gemeine Sach geworben,
Wie die Landleute denken, wie Ihr selbst
Den Stricken des Verrats entgangen seid.
MELCHTAL. Durch der Surennen furchtbares Gebirg,
Auf weit verbreitet öden Eisesfeldern,
Wo nur der heisre Lämmergeier krächzt,
Gelangt' ich zu der Alpentrift, wo sich
Aus Uri und vom Engelberg die Hirten
Anrufend grüßen und gemeinsam weiden,
Den Durst mir stillend mit der Gletscher Milch,
Die in den Runsen schäumend niederquillt.

Runsen
(Wasser)rinne

In den einsamen Sennhütten kehrt' ich ein,
Mein eigner Wirt und Gast, bis dass ich kam
Zu Wohnungen gesellig lebender Menschen.
– Erschollen war in diesen Tälern schon
Der Ruf des neuen Gräuels, der geschehn,
Und fromme Ehrfurcht schaffte mir mein Unglück
Vor jeder Pforte, wo ich wandernd klopfte.
Entrüstet fand ich diese graden Seelen
Ob dem gewaltsam neuen Regiment;
Denn so wie ihre Alpen fort und fort
Dieselben Kräuter nähren, ihre Brunnen
Gleichförmig fließen, Wolken selbst und Winde
Den gleichen Strich unwandelbar befolgen,
So hat die alte Sitte hier vom Ahn
Zum Enkel unverändert fortbestanden,
Nicht tragen sie verwegne Neuerung
Im altgewohnten gleichen Gang des Lebens.
– Die harten Hände reichten sie mir dar,
Von den Wänden langten sie die rost'gen Schwerter,
Und aus den Augen blitzte freudiges
Gefühl des Muts, als ich die Namen nannte,
Die im Gebirg dem Landmann heilig sind,
Den Eurigen und Walter Fürsts – Was Euch
Recht würde dünken, schwuren sie zu tun,
Euch schwuren sie bis in den Tod zu folgen.
– So eilt' ich sicher unterm heil'gen Schirm
Des Gastrechts von Gehöfte zu Gehöfte –
Und als ich kam ins heimatliche Tal,
Wo mir die Vettern viel verbreitet wohnen –
Als ich den Vater fand, beraubt und blind,
Auf fremdem Stroh, von der Barmherzigkeit
Mildtät'ger Menschen lebend –

STAUFFACHER. Herr im Himmel!

MELCHTAL.
Da weint' ich nicht! Nicht in ohnmächt'gen Tränen
Goss ich die Kraft des heißen Schmerzens aus,
In tiefer Brust wie einen teuren Schatz
Verschloss ich ihn und dachte nur auf Taten.
Ich kroch durch alle Krümmen des Gebirgs,
Kein Tal war so versteckt, ich späht' es aus;
Bis an der Gletscher eisbedeckten Fuß
Erwartet' ich und fand bewohnte Hütten,
Und überall, wohin mein Fuß mich trug,

Fand ich den gleichen Hass der Tyrannei,
Denn bis an diese letzte Grenze selbst
Belebter Schöpfung, wo der starre Boden
Aufhört zu geben, raubt der Vögte Geiz –
Die Herzen alle dieses biedern Volks
Erregt' ich mit dem Stachel meiner Worte,
Und unser sind sie all mit Herz und Mund.
STAUFFACHER. Großes habt Ihr in kurzer Frist geleistet.
MELCHTAL. Ich tat noch mehr. Die beiden Festen sind's,
Rossberg und Sarnen, die der Landmann fürchtet,
Denn hinter ihren Felsenwällen schirmt
Der Feind sich leicht und schädiget das Land.
Mit eignen Augen wollt' ich es erkunden,
Ich war zu Sarnen und besah die Burg.
STAUFFACHER. Ihr wagtet Euch bis in des Tigers Höhle?
MELCHTAL. Ich war verkleidet dort in Pilgerstracht,
Ich sah den Landvogt an der Tafel schwelgen –
Urteilt, ob ich mein Herz bezwingen kann;
Ich sah den Feind, und ich erschlug ihn nicht.
STAUFFACHER.
Fürwahr, das Glück war Eurer Kühnheit hold.
(Unterdessen sind die andern Landleute vorwärts gekommen und nähern sich den beiden.)
Doch jetzo sagt mir, wer die Freunde sind
Und die gerechten Männer, die Euch folgten.
Macht mich bekannt mit ihnen, dass wir uns
Zutraulich nahen und die Herzen öffnen.
MEIER. Wer kennte Euch nicht, Herr, in den drei Landen?
Ich bin der Mei'r von Sarnen, dies hier ist
Mein Schwestersohn, der Struth von Winkelried.
STAUFFACHER. Ihr nennt mir keine unbekannten Namen.
Ein Winkelried war's, der den Drachen schlug
Im Sumpf bei Weiler und sein Leben ließ
In diesem Strauß.
WINKELRIED. Das war mein Ahn, Herr Werner.
MELCHTAL *(zeigt auf zwei Landleute).*
Die wohnen hinterm Wald, sind Klosterleute
Vom Engelberg – Ihr werdet sie drum nicht
Verachten, weil sie eigne Leute sind
Und nicht wie wir frei sitzen auf dem Erbe –
Sie lieben 's Land, sind sonst auch wohl berufen.
STAUFFACHER *(zu den beiden).*
Gebt mir die Hand. Es preise sich, wer keinem

Mit seinem Leibe pflichtig ist auf Erden,
Doch Redlichkeit gedeiht in jedem Stande.

KONRAD HUNN.
Das ist Herr Reding, unser Altlandammann.

Widerpart Feind. Gegenspieler. Part *(franz.)* Teil

MEIER. Ich kenn ihn wohl. Er ist mein Widerpart,
Der um ein altes Erbstück mit mir rechtet.
– Herr Reding, wir sind Feinde vor Gericht,
Hier sind wir einig. *(Schüttelt ihm die Hand.)*

STAUFFACHER. Das ist brav gesprochen.

WINKELRIED.
Hört ihr? Sie kommen. Hört das Horn von Uri!

Horn von Uri Auerhorn als Wahrzeichen Uris

(Rechts und links sieht man bewaffnete Männer mit Windlichtern die Felsen herabsteigen.)

AUF DER MAUER.
Seht! Steigt nicht selbst der fromme Diener Gottes,
Der würd'ge Pfarrer, mit herab? Nicht scheut er
Des Weges Mühen und das Graun der Nacht,
Ein treuer Hirte für das Volk zu sorgen.

BAUMGARTEN. Der Sigrist folgt ihm und Herr Walter Fürst,
Doch nicht den Tell erblick ich in der Menge.

Sigrist Messdiener, Küster

Walter Fürst, Rösselmann der Pfarrer, Petermann der Sigrist, Kuoni der Hirt, Werni der Jäger, Ruodi der Fischer und noch fünf andere Landleute; alle zusammen, dreiunddreißig an der Zahl, treten vorwärts und stellen sich um das Feuer.

WALTER FÜRST. So müssen wir auf unserm eignen Erb
Und väterlichen Boden uns verstohlen
Zusammenschleichen, wie die Mörder tun,
Und bei der Nacht, die ihren schwarzen Mantel
Nur dem Verbrechen und der sonnenscheuen
Verschwörung leihet, unser gutes Recht
Uns holen, das doch lauter ist und klar,
Gleichwie der glanzvoll offne Schoß des Tages.

MELCHTAL.
Lasst's gut sein. Was die dunkle Nacht gesponnen,
Soll frei und fröhlich an das Licht der Sonnen.

RÖSSELMANN.
Hört, was mir Gott ins Herz gibt, Eidgenossen!
Wir stehen hier statt einer Landsgemeinde
Und können gelten für ein ganzes Volk.
So lasst uns tagen nach den alten Bräuchen
Des Lands, wie wir's in ruhigen Zeiten pflegen;
Was ungesetzlich ist in der Versammlung,

Entschuldige die Not der Zeit. Doch Gott
Ist überall, wo man das Recht verwaltet,
Und unter seinem Himmel stehen wir.
STAUFFACHER. Wohl, lasst uns tagen nach der alten Sitte;
Ist es gleich Nacht, so leuchtet unser Recht.
MELCHTAL.
Ist gleich die Zahl nicht voll, das Herz ist hier
Des ganzen Volks, die Besten sind zugegen.
KONRAD HUNN. Sind auch die alten Bücher nicht zur Hand,
Sie sind in unsre Herzen eingeschrieben.
RÖSSELMANN. Wohlan, so sei der Ring sogleich gebildet,
Man pflanze auf die Schwerter der Gewalt!
AUF DER MAUER. Der Landesammann nehme seinen Platz,
Und seine Weibel stehen ihm zur Seite!
SIGRIST. Es sind der Völker dreie. Welchem nun
Gebührt's, das Haupt zu geben der Gemeinde?
MEIER. Um diese Ehr mag Schwyz und Uri streiten,
Wir Unterwaldner stehen frei zurück.
MELCHTAL. Wir stehn zurück, wir sind die Flehenden,
Die Hilfe heischen von den mächt'gen Freunden.
STAUFFACHER.
So nehme Uri denn das Schwert, sein Banner
Zieht bei den Römerzügen uns voran.
WALTER FÜRST. Des Schwertes Ehre werde Schwyz zuteil,
Denn seines Stammes rühmen wir uns alle.
RÖSSELMANN.
Den edlen Wettstreit lasst mich freundlich schlichten:
Schwyz soll im Rat, Uri im Felde führen.
WALTER FÜRST *(reicht dem Stauffacher die Schwerter).*
So nehmt!
STAUFFACHER. Nicht mir, dem Alter sei die Ehre.
IM HOFE. Die meisten Jahre zählt Ulrich der Schmied.
AUF DER MAUER.
Der Mann ist wacker, doch nicht freien Stands;
Kein eigner Mann kann Richter sein in Schwyz.
STAUFFACHER.
Steht nicht Herr Reding hier, der Altlandammann?
Was suchen wir noch einen Würdigern?
WALTER FÜRST. Er sei der Ammann und des Tages Haupt!
Wer dazu stimmt, erhebe seine Hände.
(Alle heben die rechte Hand auf.)
REDING *(tritt in die Mitte).*
Ich kann die Hand nicht auf die Bücher legen,

Weibel Amts-, Gerichtsdiener

So schwör ich droben bei den ew'gen Sternen,
Dass ich mich nimmer will vom Recht entfernen.
(Man richtet die zwei Schwerter vor ihm auf, der Ring bildet sich um ihn her, Schwyz hält die Mitte, rechts stellt sich Uri und links Unterwalden. Er steht auf sein Schlachtschwert gestützt.)
Was ist's, dass die drei Völker des Gebirgs
Hier an des Sees unwirtlichem Gestade
Zusammenführte in der Geisterstunde?
Was soll der Inhalt sein des neuen Bunds,
Den wir hier unterm Sternenhimmel stiften?
STAUFFACHER *(tritt in den Ring).*
Wir stiften keinen neuen Bund, es ist
Ein uralt Bündnis nur von Väter Zeit,
Das wir erneuern! Wisset, Eidgenossen!
Ob uns der See, ob uns die Berge scheiden
Und jedes Volk sich für sich selbst regiert,
So sind wir eines Stammes doch und Bluts,
Und eine Heimat ist's, aus der wir zogen.

Lieder
Lieder über die Einwanderung aus Schweden

WINKELRIED. So ist es wahr, wie's in den Liedern lautet,
Dass wir von fern her in das Land gewallt?
O teilt's uns mit, was Euch davon bekannt,
Dass sich der neue Bund am alten stärke.
STAUFFACHER. Hört, was die alten Hirten sich erzählen.
– Es war ein großes Volk hinten im Lande
Nach Mitternacht, das litt von schwerer Teurung.
In dieser Not beschloss die Landsgemeinde,
Dass jeder zehnte Bürger nach dem Los
Der Väter Land verlasse – das geschah.
Und zogen aus, wehklagend, Männer und Weiber,
Ein großer Heerzug, nach der Mittagssonne,
Mit dem Schwert sich schlagend durch das deutsche Land,
Bis an das Hochland dieser Waldgebirge.
Und eher nicht ermüdete der Zug,
Bis dass sie kamen in das wilde Tal,
Wo jetzt die Muotta zwischen Wiesen rinnt –
Nicht Menschenspuren waren hier zu sehen,
Nur eine Hütte stand am Ufer einsam,
Da saß ein Mann und wartete der Fähre –
Doch heftig wogete der See und war
Nicht fahrbar; da besahen sie das Land
Sich näher und gewahrten schöne Fülle
Des Holzes und entdeckten gute Brunnen
Und meinten, sich im lieben Vaterland

Zu finden – Da beschlossen sie zu bleiben,
Erbaueten den alten Flecken Schwyz
Und hatten manchen sauren Tag, den Wald
Mit weit verschlungnen Wurzeln auszuroden –
Drauf, als der Boden nicht mehr G'nügen tat
Der Zahl des Volks, da zogen sie hinüber
Zum schwarzen Berg, ja bis ans Weißland hin,
Wo, hinter ew'gem Eiseswall verborgen,
Ein andres Volk in andern Zungen spricht.
Den Flecken Stanz erbauten sie am Kernwald,
Den Flecken Altdorf in dem Tal der Reuß –
Doch blieben sie des Ursprungs stets gedenk;
Aus all den fremden Stämmen, die seitdem
In Mitte ihres Lands sich angesiedelt,
Finden die Schwyzer Männer sich heraus,
Es gibt das Herz, das Blut sich zu erkennen.
(Er reicht rechts und links die Hand hin.)

AUF DER MAUER.
Ja, wir sind eines Herzens, eines Bluts!

ALLE *(sich die Hände reichend).*
Wir sind ein Volk, und einig wollen wir handeln.

STAUFFACHER. Die andern Völker tragen fremdes Joch,
Sie haben sich dem Sieger unterworfen.
Es leben selbst in unsern Landesmarken
Der Sassen viel, die fremde Pflichten tragen,
Und ihre Knechtschaft erbt auf ihre Kinder.
Doch wir, der alten Schweizer echter Stamm,
Wir haben stets die Freiheit uns bewahrt.
Nicht unter Fürsten bogen wir das Knie,
Freiwillig wählten wir den Schirm der Kaiser.

RÖSSELMANN.
Frei wählten wir des Reiches Schutz und Schirm,
So steht's bemerkt in Kaiser Friedrichs Brief.

STAUFFACHER. Denn herrenlos ist auch der Freiste nicht.
Ein Oberhaupt muss sein, ein höchster Richter,
Wo man das Recht mag schöpfen in dem Streit.
Drum haben unsre Väter für den Boden,
Den sie der alten Wildnis abgewonnen,
Die Ehr gegönnt dem Kaiser, der den Herrn
Sich nennt der deutschen und der welschen Erde,
Und wie die andern Freien seines Reichs
Sich ihm zu edelm Waffendienst gelobt:
Denn dieses ist der Freien einz'ge Pflicht,

schwarzer Berg Pass von Unterwalden nach Bern

Weißland das Oberhaslital mit seinen Gletschern

Sasse Ansässiger, der einem Herrn dienstbar ist

welsch italienisch

Das Reich zu schirmen, das sie selbst beschirmt.
MELCHTAL. Was drüber ist, ist Merkmal eines Knechts.
STAUFFACHER. Sie folgten, wenn der Heribann erging,
Dem Reichspanier und schlugen seine Schlachten.
Nach Welschland zogen sie gewappnet mit,
Die Römerkron ihm auf das Haupt zu setzen.
Daheim regierten sie sich fröhlich selbst
Nach altem Brauch und eigenem Gesetz;
Der höchste Blutbann war allein des Kaisers.
Und dazu ward bestellt ein großer Graf,
Der hatte seinen Sitz nicht in dem Lande.
Wenn Blutschuld kam, so rief man ihn herein,
Und unter offnem Himmel, schlicht und klar,
Sprach er das Recht und ohne Furcht der Menschen.
Wo sind hier Spuren, dass wir Knechte sind?
Ist einer, der es anders weiß, der rede!
IM HOFE. Nein, so verhält sich alles, wie Ihr sprecht,
Gewaltherrschaft ward nie bei uns geduldet.
STAUFFACHER. Dem Kaiser selbst versagten wir Gehorsam,
Da er das Recht zu Gunst der Pfaffen bog.
Denn als die Leute von dem Gotteshaus
Einsiedeln uns die Alp in Anspruch nahmen,
Die wir beweidet seit der Väter Zeit,
Der Abt herfürzog einen alten Brief,
Der ihm die herrenlose Wüste schenkte –
Denn unser Dasein hatte man verhehlt –
Da sprachen wir: „Erschlichen ist der Brief!
Kein Kaiser kann, was unser ist, verschenken.
Und wird uns Recht versagt vom Reich, wir können
In unsern Bergen auch des Reichs entbehren."
– So sprachen unsre Väter! Sollen wir
Des neuen Joches Schändlichkeit erdulden,
Erleiden von dem fremden Knecht, was uns
In seiner Macht kein Kaiser durfte bieten?
– Wir haben diesen Boden uns erschaffen
Durch unsrer Hände Fleiß, den alten Wald,
Der sonst der Bären wilde Wohnung war.
Zu einem Sitz für Menschen umgewandelt,
Die Brut des Drachen haben wir getötet,
Der aus den Sümpfen giftgeschwollen stieg,
Die Nebeldecke haben wir zerrissen,
Die ewig grau um diese Wildnis hing,
Den harten Fels gesprengt, über den Abgrund

Heribann Heerbann. Aufgebot zum Kriegsdienst

Reichspanier Reichsbanner

Blutbann höchste Gerichtsbarkeit über Leben und Tod

alter Brief von Heinrich V. aus dem Jahre 1114

Dem Wandersmann den sichern Steg geleitet;
Unser ist durch tausendjährigen Besitz
Der Boden – und der fremde Herrenknecht
Soll kommen dürfen und uns Ketten schmieden
Und Schmach antun auf unsrer eignen Erde?
Ist keine Hilfe gegen solchen Drang?
(Eine große Bewegung unter den Landleuten.)
Nein, eine Grenze hat Tyrannenmacht,
Wenn der Gedrückte nirgends Recht kann finden,
Wenn unerträglich wird die Last – greift er
Hinauf getrosten Mutes in den Himmel
Und holt herunter seine ew'gen Rechte,
Die droben hangen unveräußerlich
Und unzerbrechlich wie die Sterne selbst –
Der alte Urstand der Natur kehrt wieder,
Wo Mensch dem Menschen gegenübersteht –
Zum letzten Mittel, wenn kein andres mehr
Verfangen will, ist ihm das Schwert gegeben –
Der Güter höchstes dürfen wir verteid'gen
Gegen Gewalt – Wir stehn vor unser Land,
Wir stehn vor unsre Weiber, unsre Kinder!

Tyrannenmacht Tyrann *(griech.)* = Gewaltherrscher

vor *(unser Land)* für

ALLE *(an ihre Schwerter schlagend).*
Wir stehn vor unsre Weiber, unsre Kinder!
RÖSSELMANN *(tritt in den Ring).*
Eh ihr zum Schwerte greift, bedenkt es wohl.
Ihr könnt es friedlich mit dem Kaiser schlichten.
Es kostet euch ein Wort, und die Tyrannen,
Die euch jetzt schwer bedrängen, schmeicheln euch.
– Ergreift, was man euch oft geboten hat,
Trennt euch vom Reich, erkennet Östreichs Hoheit –
AUF DER MAUER.
Was sagt der Pfarrer? Wir zu Östreich schwören!
AM BÜHEL. Hört ihn nicht an!
WINKELRIED. Das rät uns ein Verräter,
Ein Feind des Landes!
REDING. Ruhig! Eidgenossen!
SEWA. Wir Östreich huldigen, nach solcher Schmach!
VON DER FLÜE. Wir uns abtrotzen lassen durch Gewalt,
Was wir der Güte weigerten!
MEIER. Dann wären
Wir Sklaven und verdienten es zu sein!
AUF DER MAUER.
Der sei gestoßen aus dem Recht der Schweizer,

Wer von Ergebung spricht an Österreich!
– Landammann, ich bestehe drauf, dies sei
Das erste Landsgesetz, das wir hier geben.
MELCHTAL. So sei's. Wer von Ergebung spricht an Östreich,
Soll rechtlos sein und aller Ehren bar,
Kein Landmann nehm ihn auf an seinem Feuer.
ALLE *(heben die rechte Hand auf).*
Wir wollen es, das sei Gesetz!
REDING *(nach einer Pause).* Es ist's.
RÖSSELMANN. Jetzt seid ihr frei, ihr seid's durch dies Gesetz.
Nicht durch Gewalt soll Österreich ertrotzen,
Was es durch freundlich Werben nicht erhielt –
JOST VON WEILER. Zur Tagesordnung, weiter.
REDING. Eidgenossen!
Sind alle sanften Mittel auch versucht?
Vielleicht weiß es der König nicht, es ist
Wohl gar sein Wille nicht, was wir erdulden.
Auch dieses Letzte sollten wir versuchen,
Erst unsre Klage bringen vor sein Ohr,
Eh wir zum Schwerte greifen. Schrecklich immer,
Auch in gerechter Sache, ist Gewalt;
Gott hilft nur dann, wenn Menschen nicht mehr helfen.
STAUFFACHER *(zu Konrad Hunn).*
Nun ist's an Euch, Bericht zu geben. Redet.

Rheinfeld im Aargau

KONRAD HUNN. Ich war zu Rheinfeld an des Kaisers Pfalz,
Wider der Vögte harten Druck zu klagen,
Den Brief zu holen unsrer alten Freiheit,
Den jeder neue König sonst bestätigt.
Die Boten vieler Städte fand ich dort,
Vom schwäb'schen Lande und vom Lauf des Rheins.
Die all erhielten ihre Pergamente
Und kehrten freudig wieder in ihr Land.
Mich, euren Boten, wies man an die Räte,
Und die entließen mich mit leerem Trost:
Der Kaiser habe diesmal keine Zeit,
Er würde sonst einmal wohl an uns denken.
– Und als ich traurig durch die Säle ging

Herzog Hansen Johann von Schwaben, der Neffe Albrechts I.

Der Königsburg, da sah ich Herzog Hansen
In einem Erker weinend stehn, um ihn
Die edlen Herrn von Wart und Tegerfeld.
Die riefen mir und sagten: „Helft euch selbst,
Gerechtigkeit erwartet nicht vom König.
Beraubt er nicht des eignen Bruders Kind

Und hinterhält ihm sein gerechtes Erbe?
Der Herzog fleht' ihn um sein Mütterliches,
Er habe seine Jahre voll, es wäre
Nun Zeit, auch Land und Leute zu regieren.
Was ward ihm zum Bescheid? Ein Kränzlein setzt' ihm
Der Kaiser auf: das sei die Zier der Jugend."
AUF DER MAUER. Ihr habt's gehört. Recht und Gerechtigkeit
Erwartet nicht vom Kaiser! Helft euch selbst!
REDING. Nichts andres bleibt uns übrig. Nun gebt Rat,
Wie wir es klug zum frohen Ende leiten.
WALTER FÜRST *(tritt in den Ring).*
Abtreiben wollen wir verhassten Zwang,
Die alten Rechte, wie wir sie ererbt
Von unsern Vätern, wollen wir bewahren,
Nicht ungezügelt nach dem Neuen greifen.
Dem Kaiser bleibe, was des Kaisers ist,
Wer einen Herrn hat, dien ihm pflichtgemäß.
MEIER. Ich trage Gut von Österreich zu Lehen.
WALTER FÜRST. Ihr fahret fort, Östreich die Pflicht zu leisten.
JOST VON WEILER. Ich steure an die Herrn von Rappersweil.
WALTER FÜRST. Ihr fahret fort, zu zinsen und zu steuern.
RÖSSELMANN. Der großen Frau zu Zürch bin ich vereidet.
WALTER FÜRST. Ihr gebt dem Kloster, was des Klosters ist.
STAUFFACHER. Ich trage keine Lehen als des Reichs.
WALTER FÜRST.
Was sein muss, das geschehe, doch nicht drüber.
Die Vögte wollen wir mit ihren Knechten
Verjagen und die festen Schlösser brechen,
Doch, wenn es sein mag, ohne Blut. Es sehe
Der Kaiser, dass wir notgedrungen nur
Der Ehrfurcht fromme Pflichten abgeworfen.
Und sieht er uns in unsern Schranken bleiben,
Vielleicht besiegt er staatsklug seinen Zorn,
Denn bill'ge Furcht erwecket sich ein Volk,
Das mit dem Schwerte in der Faust sich m ä ß i g t.
REDING. Doch lasset hören! Wie vollenden wir's?
Es hat der Feind die Waffen in der Hand,
Und nicht fürwahr in Frieden wird er weichen.
STAUFFACHER. Er wird's, wenn er in Waffen uns erblickt,
Wir überraschen ihn, eh er sich rüstet.
MEIER. Ist bald gesprochen, aber schwer getan.
Uns ragen in dem Land zwei feste Schlösser,
Die geben Schirm dem Feind und werden furchtbar,

Rappersweil am Zürcher See

große Frau Äbtissin des Frauenmünsters in Zürich

Wenn uns der König in das Land sollt fallen.
Rossberg und Sarnen muss bezwungen sein,
Eh man ein Schwert erhebt in den drei Landen.
STAUFFACHER.
Säumt man so lang, so wird der Feind gewarnt;
Zu viele sind's, die das Geheimnis teilen.
MEIER. In den Waldstätten find't sich kein Verräter.
RÖSSELMANN. Der Eifer auch, der gute, kann verraten.
WALTER FÜRST.
Schiebt man es auf, so wird der Twing vollendet
In Altdorf, und der Vogt befestigt sich.
MEIER. Ihr denkt an euch.
SIGRIST. Und ihr seid ungerecht.
MEIER *(auffahrend).* Wir ungerecht! Das darf uns Uri bieten!
REDING. Bei eurem Eide! Ruh!
MEIER. Ja, wenn sich Schwyz
Versteht mit Uri, müssen wir wohl schweigen.
REDING. Ich muss euch weisen vor der Landsgemeinde,
Dass ihr mit heft'gem Sinn den Frieden stört!
Stehn wir nicht alle für dieselbe Sache?
WINKELRIED.
Wenn wir's verschieben bis zum Fest des Herrn,
Dann bringt's die Sitte mit, dass alle Sassen
Dem Vogt Geschenke bringen auf das Schloss;
So können zehen Männer oder zwölf
Sich unverdächtig in der Burg versammeln,
Die führen heimlich spitz'ge Eisen mit,
Die man geschwind kann an die Stäbe stecken,
Denn niemand kommt mit Waffen in die Burg.
Zunächst im Wald hält dann der große Haufe,
Und wenn die andern glücklich sich des Tors
Ermächtiget, so wird ein Horn geblasen,
Und jene brechen aus dem Hinterhalt.
So wird das Schloss mit leichter Arbeit unser.
MELCHTAL. Den Rossberg übernehm ich zu ersteigen,
Denn eine Dirn des Schlosses ist mir hold,
Und leicht betör ich sie, zum nächtlichen
Besuch die schwanke Leiter mir zu reichen –
Bin ich droben erst, zieh ich die Freunde nach.
REDING. Ist's aller Wille, dass verschoben werde?
(Die Mehrheit erhebt die Hand.)
STAUFFACHER *(zählt die Stimmen).*
Es ist ein Mehr von zwanzig gegen zwölf!

WALTER FÜRST. Wenn am bestimmten Tag die Burgen fallen,
So geben wir von einem Berg zum andern
Das Zeichen mit dem Rauch, der Landsturm wird
Aufgeboten, schnell, im Hauptort jedes Landes;
Wenn dann die Vögte sehn der Waffen Ernst,
Glaubt mir, sie werden sich des Streits begeben
Und gern ergreifen friedliches Geleit,
Aus unsern Landesmarken zu entweichen.
STAUFFACHER.
Nur mit dem Geßler fürcht ich schweren Stand,
Furchtbar ist er mit Reisigen umgeben,
Nicht ohne Blut räumt er das Feld, ja selbst
Vertrieben bleibt er furchtbar noch dem Land;
Schwer ist's und fast gefährlich, ihn zu schonen.
BAUMGARTEN. Wo's halsgefährlich ist, da stellt mich hin!
Dem Tell verdank ich mein gerettet Leben,
Gern schlag ich's in die Schanze für das Land,
Mein Ehr hab ich beschützt, mein Herz befriedigt.
REDING. Die Zeit bringt Rat. Erwartet's in Geduld.
Man muss dem Augenblick auch was vertrauen.
– Doch seht, indes wir nächtlich hier noch tagen,
Stellt auf den höchsten Bergen schon der Morgen
Die glühn'de Hochwacht aus – Kommt, lasst uns scheiden,
Eh uns des Tages Leuchten überrascht.
WALTER FÜRST.
Sorgt nicht, die Nacht weicht langsam aus den Tälern.
(Alle haben unwillkürlich die Hüte abgenommen und betrachten mit stiller Sammlung die Morgenröte.)
RÖSSELMANN. Bei diesem Licht, das uns zuerst begrüßt
Von allen Völkern, die tief unter uns
Schwer atmend wohnen in dem Qualm der Städte,
Lasst uns den Eid des neuen Bundes schwören.
– Wir wollen sein ein einzig Volk von Brüdern,
In keiner Not uns trennen und Gefahr.
(Alle sprechen es nach mit erhobenen drei Fingern.)
– Wir wollen frei sein, wie die Väter waren,
Eher den Tod, als in der Knechtschaft leben.
(Wie oben.)
Wir wollen trauen auf den höchsten Gott
Und uns nicht fürchten vor der Macht der Menschen.
(Wie oben. Die Landleute umarmen einander.)
STAUFFACHER. Jetzt gehe jeder seines Weges still
Zu seiner Freundschaft und Genosssame.

Genosssame
Kreis der Genossen

Wer Hirt ist, wintre ruhig seine Herde
Und werb im Stillen Freunde für den Bund.
– Was noch bis dahin muss erduldet werden,
Erduldet's! Lasst die Rechnung der Tyrannen
Anwachsen, bis ein Tag die allgemeine
Und die besondre Schuld auf einmal zahlt.
Bezähme jeder die gerechte Wut
Und spare für das Ganze seine Rache,
Denn Raub begeht am allgemeinen Gut,
Wer selbst sich hilft in seiner eignen Sache.

(Indem sie zu drei verschiedenen Seiten in größter Ruhe abgehen, fällt das Orchester mit einem prachtvollen Schwung ein, die leere Szene bleibt noch eine Zeit lang offen und zeigt das Schauspiel der aufgehenden Sonne über den Eisgebirgen.)

DRITTER AUFZUG

ERSTE SZENE

Hof vor Tells Hause.

Er ist mit der Zimmeraxt, Hedwig mit einer häuslichen Arbeit beschäftigt. Walter und Wilhelm in der Tiefe spielen mit einer kleinen Armbrust.

WALTER *(singt).*
Mit dem Pfeil, dem Bogen,
Durch Gebirg und Tal
Kommt der Schütz gezogen
Früh am Morgenstrahl.
Wie im Reich der Lüfte
König ist der Weih –
Durch Gebirg und Klüfte
Herrscht der Schütze frei.
Ihm gehört das Weite,
Was sein Pfeil erreicht,
Das ist seine Beute,
Was da kreucht und fleugt.
(Kommt gesprungen.)
Der Strang ist mir entzwei. Mach mir ihn, Vater!
TELL. Ich nicht. Ein rechter Schütze hilft sich selbst.
(Knaben entfernen sich.)
HEDWIG. Die Knaben fangen zeitig an zu schießen.
TELL. Früh übt sich, was ein Meister werden will.
HEDWIG. Ach wollte Gott, sie lernten's nie!
TELL. Sie sollen alles lernen. Wer durchs Leben
Sich frisch will schlagen, muss zu Schutz und Trutz
Gerüstet sein.
HEDWIG. Ach, es wird keiner seine Ruh
Zu Hause finden.
TELL. Mutter, ich kann's auch nicht;
Zum Hirten hat Natur mich nicht gebildet,
Rastlos muss ich ein flüchtig Ziel verfolgen.
Dann erst genieß ich meines Lebens recht,
Wenn ich mir's jeden Tag aufs Neu erbeute.
HEDWIG. Und an die Angst der Hausfrau denkst du nicht,
Die sich indessen, deiner wartend, härmt;
Denn mich erfüllt's mit Grausen, was die Knechte

Von euren Wagefahrten sich erzählen.
Bei jedem Abschied zittert mir das Herz,
Dass du mir nimmer werdest wiederkehren.
Ich sehe dich, im wilden Eisgebirg
Verirrt, von einer Klippe zu der andern
Den Fehlsprung tun, seh, wie die Gämse dich
Rückspringend mit sich in den Abgrund reißt,
Wie eine Windlawine dich verschüttet,
Wie unter dir der trügerische Firn
Einbricht und du hinabsinkst, ein lebendig
Begrabner, in die schauerliche Gruft –
Ach, den verwegnen Alpenjäger hascht
Der Tod in hundert wechselnden Gestalten;
Das ist ein unglückseliges Gewerb,
Das halsgefährlich führt am Abgrund hin!

Firn *hier*: vorjähriger Schnee

TELL. Wer frisch umherspäht mit gesunden Sinnen,
Auf Gott vertraut und die gelenke Kraft,
Der ringt sich leicht aus jeder Fahr und Not;
Den schreckt der Berg nicht, der darauf geboren.
(Er hat seine Arbeit vollendet, legt das Gerät hinweg.)
Jetzt, mein ich, hält das Tor auf Jahr und Tag.
Die Axt im Haus erspart den Zimmermann.
(Nimmt den Hut.)
HEDWIG. Wo gehst du hin?
TELL. Nach Altdorf, zu dem Vater.
HEDWIG.
Sinnst du auch nichts Gefährliches? Gesteh mir's!
TELL. Wie kommst du darauf, Frau?
HEDWIG. Es spinnt sich etwas
Gegen die Vögte – Auf dem Rütli ward
Getagt, ich weiß, und du bist auch im Bunde.
TELL. Ich war nicht mit dabei – doch werd ich mich
Dem Lande nicht entziehen, wenn es ruft.
HEDWIG. Sie werden dich hinstellen, wo Gefahr ist,
Das Schwerste wird dein Anteil sein, wie immer.
TELL. Ein jeder wird besteuert nach Vermögen.
HEDWIG. Den Unterwaldner hast du auch im Sturme
Über den See geschafft – Ein Wunder war's,
Dass ihr entkommen – Dachtest du denn gar nicht
An Kind und Weib?
TELL. Lieb Weib, ich dacht' an euch,
Drum rettet' ich den Vater seinen Kindern.
HEDWIG. Zu schiffen in dem wüt'gen See! Das heißt

Nicht Gott vertrauen! Das heißt Gott versuchen.
TELL. Wer gar zu viel bedenkt, wird wenig leisten.
HEDWIG. Ja, du bist gut und hilfreich, dienest allen,
Und wenn du selbst in Not kommst, hilft dir keiner.
TELL. Verhüt es Gott, dass ich nicht Hilfe brauche.
(Er nimmt die Armbrust und Pfeile.)
HEDWIG. Was willst du mit der Armbrust? Lass sie hier.
TELL. Mir fehlt der Arm, wenn mir die Waffe fehlt.
(Die Knaben kommen zurück.)
WALTER. Vater, wo gehst du hin?
TELL. Nach Altdorf, Knabe,
Zum Ehni – Willst du mit?
WALTER. Ja, freilich will ich.
HEDWIG. Der Landvogt ist jetzt dort. Bleib weg von Altdorf.
TELL. Er geht, noch heute.
HEDWIG. Drum lass ihn erst fort sein.
Gemahn ihn nicht an dich, du weißt, er grollt uns.
TELL. Mir soll sein böser Wille nicht viel schaden.
Ich tue recht und scheue keinen Feind.
HEDWIG. Die recht tun, eben die hasst er am meisten.
TELL. Weil er nicht an sie kommen kann – Mich wird
Der Ritter wohl in Frieden lassen, mein ich.
HEDWIG. So, weißt du das?
TELL. Es ist nicht lange her,
Da ging ich jagen durch die wilden Gründe
Des Schächentals auf menschenleerer Spur,
Und da ich einsam einen Felsensteig
Verfolgte, wo nicht auszuweichen war,
Denn über mir hing schroff die Felswand her,
Und unten rauschte fürchterlich der Schächen.
(Die Knaben drängen sich rechts und links an ihn und sehen mit gespannter Neugier an ihm hinauf.)
Da kam der Landvogt gegen mich daher,
Er ganz allein mit mir, der auch allein war.
Bloß Mensch zu Mensch, und neben uns der Abgrund.
Und als der Herre mein ansichtig ward
Und mich erkannte, den er kurz zuvor
Um kleiner Ursach willen schwer gebüßt,
Und sah mich mit dem stattlichen Gewehr
Dahergeschritten kommen, da verblasst' er,
Die Knie versagten ihm, ich sah es kommen,
Dass er jetzt an die Felswand würde sinken.
– Da jammerte mich sein, ich trat zu ihm

Ehni
Großvater

Bescheidentlich und sprach: „Ich bin's, Herr Landvogt."
Er aber konnte keinen armen Laut
Aus seinem Munde geben – Mit der Hand nur
Winkt' er mir schweigend, meines Wegs zu gehn;
Da ging ich fort und sandt' ihm sein Gefolge.
HEDWIG. Er hat vor dir gezittert – Wehe dir!
Dass du ihn schwach gesehn, vergibt er nie.
TELL. Drum meid ich ihn, und er wird mich nicht suchen.
HEDWIG. Bleib heute nur dort weg. Geh lieber jagen.
TELL. Was fällt dir ein?
HEDWIG. Mich ängstigt's. Bleibe weg.
TELL. Wie kannst du dich so ohne Ursach quälen?
HEDWIG. Weil's keine Ursach hat – Tell, bleibe hier.
TELL. Ich hab's versprochen, liebes Weib, zu kommen.
HEDWIG. Musst du, so geh – Nur lasse mir den Knaben!
WALTER. Nein, Mütterchen. Ich gehe mit dem Vater.
HEDWIG. Wälti, verlassen willst du deine Mutter?
WALTER. Ich bring dir auch was Hübsches mit vom Ehni.
(Geht mit dem Vater.)
WILHELM. Mutter, ich bleibe bei dir!
HEDWIG *(umarmt ihn).* Ja, du bist
Mein liebes Kind, du bleibst mir noch allein!
(Sie geht an das Hoftor und folgt den Abgehenden lange mit den Augen.)

ZWEITE SZENE

Eine eingeschlossene wilde Waldgegend, Staubbäche stürzen von den Felsen.

Berta im Jagdkleid. Gleich darauf Rudenz.

BERTA. Er folgt mir. Endlich kann ich mich erklären.
RUDENZ *(tritt rasch ein).*
Fräulein, jetzt endlich find ich Euch allein,
Abgründe schließen ringsumher uns ein,
In dieser Wildnis fürcht ich keinen Zeugen,
Vom Herzen wälz ich dieses lange Schweigen –
BERTA. Seid Ihr gewiss, dass uns die Jagd nicht folgt?
RUDENZ. Die Jagd ist dort hinaus – Jetzt oder nie!
Ich muss den teuren Augenblick ergreifen –
Entschieden sehen muss ich mein Geschick,

Und sollt es mich auf ewig von Euch scheiden.
– O waffnet Eure güt'gen Blicke nicht
Mit dieser finstern Strenge! Wer bin ich,
Dass ich den kühnen Wunsch zu Euch erhebe?
Mich hat der Ruhm noch nicht genannt, ich darf
Mich in die Reih nicht stellen mit den Rittern,
Die siegberühmt und glänzend Euch umwerben.
Nichts hab ich als mein Herz voll Treu und Liebe –
BERTA *(ernst und streng).*
Dürft Ihr von Liebe reden und von Treue,
Der treulos wird an seinen nächsten Pflichten?
(Rudenz tritt zurück.)
Der Sklave Österreichs, der sich dem Fremdling
Verkauft, dem Unterdrücker seines Volks?
RUDENZ. Von Euch, mein Fräulein, hör ich diesen Vorwurf?
Wen such ich denn als Euch auf jener Seite?
BERTA. Mich denkt Ihr auf der Seite des Verrats
Zu finden? Eher wollt ich meine Hand
Dem Geßler selbst, dem Unterdrücker, schenken,
Als dem naturvergessnen Sohn der Schweiz,
Der sich zu seinem Werkzeug machen kann!
RUDENZ. O Gott, was muss ich hören!
BERTA. Wie? Was liegt
Dem guten Menschen näher als die Seinen?
Gibt's schönre Pflichten für ein edles Herz,
Als ein Verteidiger der Unschuld sein,
Das Recht des Unterdrückten zu beschirmen?
– Die Seele blutet mir um Euer Volk,
Ich leide mit ihm, denn ich muss es lieben,
Das so bescheiden ist und doch voll Kraft;
Es zieht mein ganzes Herz mich zu ihm hin,
Mit jedem Tage lern ich's mehr verehren.
– Ihr aber, den Natur und Ritterpflicht
Ihm zum geborenen Beschützer gaben,
Und der's verlässt, der treulos übertritt
Zum Feind und Ketten schmiedet seinem Land,
Ihr seid's, der mich verletzt und kränkt; ich muss
Mein Herz bezwingen, dass ich Euch nicht hasse.
RUDENZ. Will ich denn nicht das Beste meines Volkes?
Ihm unter Östreichs mächt'gem Zepter nicht
Den Frieden –
BERTA. Knechtschaft wollt Ihr ihm bereiten!
Die Freiheit wollt Ihr aus dem letzten Schloss,

Das ihr noch auf der Erde blieb, verjagen.
Das Volk versteht sich besser auf sein Glück.
Kein Schein verführt sein sicheres Gefühl;
Euch haben sie das Netz ums Haupt geworfen –
RUDENZ. Berta! Ihr hasst mich, Ihr verachtet mich!
BERTA. Tät ich's, mir wäre besser – Aber d e n
Verachtet s e h e n und verachtungswert,
Den man gern lieben möchte –
RUDENZ. Berta! Berta!
Ihr zeiget mir das höchste Himmelsglück
Und stürzt mich tief in e i n e m Augenblick.
BERTA. Nein, nein, das Edle ist nicht ganz erstickt
In Euch! Es schlummert nur, ich will es wecken.
Ihr müsst Gewalt ausüben an Euch selbst,
Die angestammte Tugend zu ertöten,
Doch wohl Euch, sie ist mächtiger als Ihr,
Und trotz Euch selber seid Ihr gut und edel!
RUDENZ. Ihr glaubt an mich! O Berta, alles lässt
Mich Eure Liebe sein und werden!
BERTA. Seid,
Wozu die herrliche Natur Euch machte!
Erfüllt den Platz, wohin sie Euch gestellt,
Zu Eurem Volke steht und Eurem Lande
Und kämpft für Euer heilig Recht.
RUDENZ. Weh mir!
Wie kann ich Euch erringen, Euch besitzen,
Wenn ich der Macht des Kaisers widerstrebe?
Ist's der Verwandten mächt'ger Wille nicht,
Der über Eure Hand tyrannisch waltet?
BERTA. In den Waldstätten liegen meine Güter,
Und ist der Schweizer frei, so bin auch ich's.
RUDENZ. Berta! welch einen Blick tut Ihr mir auf!
BERTA. Hofft nicht, durch Östreichs Gunst mich zu erringen;
Nach meinem Erbe strecken sie die Hand,
Das will man mit dem großen Erb vereinen.
Dieselbe Ländergier, die Eure Freiheit
Verschlingen will, sie drohet auch der meinen!
– O Freund, zum Opfer bin ich ausersehn,
Vielleicht um einen Günstling zu belohnen –
Dort, wo die Falschheit und die Ränke wohnen,
Hin an den Kaiserhof will man mich ziehn,
Dort harren mein verhasster Ehe Ketten,
Die Liebe nur – die Eure kann mich retten!

RUDENZ. Ihr könntet Euch entschließen, hier zu leben,
In meinem Vaterlande mein zu sein?
O Berta, all mein Sehnen in das Weite,
Was war es, als ein Streben nur nach Euch?
Euch sucht' ich einzig auf dem Weg des Ruhms,
Und all mein Ehrgeiz war nur meine Liebe.
Könnt Ihr mit mir Euch in dies stille Tal
Einschließen und der Erde Glanz entsagen –
O dann ist meines Strebens Ziel gefunden,
Dann mag der Strom der wild bewegten Welt
Ans sichre Ufer dieser Berge schlagen –
Kein flüchtiges Verlangen hab ich mehr
Hinauszusenden in des Lebens Weiten –
Dann mögen diese Felsen um uns her
Die undurchdringlich feste Mauer breiten,
Und dies verschlossne sel'ge Tal allein
Zum Himmel offen und gelichtet sein!
BERTA. Jetzt bist du ganz, wie dich mein ahnend Herz
Geträumt, mich hat mein Glaube nicht betrogen!
RUDENZ. Fahr hin, du eitler Wahn, der mich betört!
Ich soll das Glück in meiner Heimat finden.
Hier, wo der Knabe fröhlich aufgeblüht,
Wo tausend Freudespuren mich umgeben,
Wo alle Quellen mir und Bäume leben,
Im Vaterland willst du die Meine werden!
Ach, wohl hab ich es stets geliebt! Ich fühl's,
Es fehlte mir zu jedem Glück der Erden.
BERTA. Wo wär die sel'ge Insel aufzufinden,
Wenn sie nicht hier ist, in der Unschuld Land?
Hier, wo die alte Treue heimisch wohnt,
Wo sich die Falschheit noch nicht hingefunden,
Da trübt kein Neid die Quelle unsers Glücks,
Und ewig hell entfliehen uns die Stunden.
– Da seh ich d i c h im echten Männerwert,
Den Ersten von den Freien und den Gleichen,
Mit reiner freier Huldigung verehrt,
Groß, wie ein König wirkt in seinen Reichen.
RUDENZ. Da seh ich dich, die Krone aller Frauen,
In weiblich reizender Geschäftigkeit,
In meinem Haus den Himmel mir erbauen
Und, wie der Frühling seine Blumen streut,
Mit schöner Anmut mir das Leben schmücken
Und alles rings beleben und beglücken!

BERTA. Sieh, teurer Freund, warum ich trauerte,
Als ich dies höchste Lebensglück dich selbst
Zerstören sah – Weh mir! Wie stünd's um mich,
Wenn ich dem stolzen Ritter müsste folgen,
Dem Landbedrücker, auf sein finstres Schloss!
– Hier ist kein Schloss. Mich scheiden keine Mauern
Von einem Volk, das ich beglücken kann!
RUDENZ. Doch wie mich retten – wie die Schlinge lösen,
Die ich mir töricht selbst ums Haupt gelegt?
BERTA. Zerreiße sie mit männlichem Entschluss!
Was auch draus werde – steh zu deinem Volk!
Es ist dein angeborner Platz.
(Jagdhörner in der Ferne.)
Die Jagd
Kommt näher – Fort, wir müssen scheiden – Kämpfe
Fürs Vaterland, du kämpfst für deine Liebe!
Es ist ein Feind, vor dem wir alle zittern,
Und eine Freiheit macht uns alle frei. *(Gehen ab.)*

DRITTE SZENE

Wiese bei Altdorf.

Im Vordergrund Bäume, in der Tiefe der Hut auf einer Stange. Der Prospekt wird begrenzt durch den Bannberg, über welchen ein Schneegebirg emporragt.

Prospekt *(lat.)* Hintergrund, Bühnenbild

Frießhart und Leuthold halten Wache.

FRIESSHART. Wir passen auf umsonst. Es will sich niemand
Heran begeben und dem Hut sein' Reverenz
Erzeigen. 's war doch sonst wie Jahrmarkt hier,
Jetzt ist der ganze Anger wie verödet,
Seitdem der Popanz auf der Stange hängt.

Reverenz *(lat.)* Achtung, Ehrerbietung

Popanz Schreckgestalt

LEUTHOLD.
Nur schlecht Gesindel lässt sich sehn und schwingt
Uns zum Verdrieße die zerlumpten Mützen.
Was rechte Leute sind, die machen lieber
Den langen Umweg um den halben Flecken,
Eh sie den Rücken beugten vor dem Hut.
FRIESSHART. Sie müssen über diesen Platz, wenn sie
Vom Rathaus kommen um die Mittagstunde.

Da meint' ich schon, 'nen guten Fang zu tun,
Denn keiner dachte dran, den Hut zu grüßen.
Da sieht's der Pfaff, der Rösselmann – kam just
Von einem Kranken her – und stellt sich hin
Mit dem Hochwürdigen, grad vor die Stange –
Der Sigrist musste mit dem Glöcklein schellen,
Da fielen all aufs Knie, ich selber mit,
Und grüßten die Monstranz, doch nicht den Hut. –
LEUTHOLD. Höre, Gesell, es fängt mir an zu deuchten,
Wir stehen hier am Pranger vor dem Hut;
's ist doch ein Schimpf für einen Reitersmann,
Schildwach zu stehn vor einem leeren Hut,
Und jeder rechte Kerl muss uns verachten.
– Die Reverenz zu machen einem Hut,
Es ist doch traun ein närrischer Befehl!
FRIESSHART. Warum nicht einen leeren, hohlen Hut?
Bückst du dich doch vor manchem hohlen Schädel.
Hildegard, Mechthild und Elsbeth treten auf mit Kindern und stellen sich um die Stange.
LEUTHOLD. Und du bist auch so ein dienstfert'ger Schurke
Und brächtest wackre Leute gern ins Unglück.
Mag, wer da will, am Hut vorübergehn,
Ich drück die Augen zu und seh nicht hin.
MECHTHILD.
Da hängt der Landvogt – Habt Respekt, ihr Buben.
ELSBETH. Wollt's Gott, er ging und ließ uns seinen Hut;
Es sollte drum nicht schlechter stehn ums Land!
FRIESSHART *(verscheucht sie).*
Wollt ihr vom Platz? Verwünschtes Volk der Weiber!
Wer fragt nach euch? Schickt eure Männer her,
Wenn sie der Mut sticht, dem Befehl zu trotzen.
(Weiber gehen.)
Tell mit der Armbrust tritt auf, den Knaben an der Hand führend. Sie gehen an dem Hut vorbei gegen die vordere Szene, ohne darauf zu achten.
WALTER *(zeigt nach dem Bannberg).*
Vater, ist's wahr, dass auf dem Berge dort
Die Bäume bluten, wenn man einen Streich
Drauf führte mit der Axt?
TELL. Wer sagt das, Knabe?
WALTER. Der Meister Hirt erzählt's – Die Bäume seien
Gebannt, sagt er, und wer sie schädige,
Dem wachse seine Hand heraus zum Grabe.

Sigrist vergleiche Anmerkung v. V. 1098

→

Respekt *(lat.)* Achtung, Hochachtung

TELL. Die Bäume sind gebannt, das ist die Wahrheit.
– Siehst du die Firnen dort, die weißen Hörner,
Die hoch bis in den Himmel sich verlieren?
WALTER. Das sind die Gletscher, die des Nachts so donnern
Und uns die Schlaglawinen niedersenden.
TELL. So ist's, und die Lawinen hätten längst
Den Flecken Altdorf unter ihrer Last
Verschüttet, wenn der Wald dort oben nicht
Als eine Landwehr sich dagegenstellte.
WALTER *(nach einigem Besinnen).*
Gibt's Länder, Vater, wo nicht Berge sind?
TELL. Wenn man hinuntersteigt von unsern Höhen
Und immer tiefer steigt, den Strömen nach,
Gelangt man in ein großes ebnes Land,
Wo die Waldwasser nicht mehr brausend schäumen,
Die Flüsse ruhig und gemächlich ziehn;
Da sieht man frei nach allen Himmelsräumen,
Das Korn wächst dort in langen schönen Auen,
Und wie ein Garten ist das Land zu schauen.
WALTER. Ei, Vater, warum steigen wir denn nicht
Geschwind hinab in dieses schöne Land,
Statt dass wir uns hier ängstigen und plagen?
TELL. Das Land ist schön und gütig wie der Himmel,
Doch die's bebauen, sie genießen nicht
Den Segen, den sie pflanzen.
WALTER. Wohnen sie
Nicht frei wie du auf ihrem eignen Erbe?
TELL. Das Feld gehört dem Bischof und dem König.
WALTER. So dürfen sie doch frei in Wäldern jagen?
TELL. Dem Herrn gehört das Wild und das Gefieder.
WALTER. Sie dürfen doch frei fischen in dem Strom?
TELL. Der Strom, das Meer, das Salz gehört dem König.
WALTER. Wer ist der König denn, den alle fürchten?
TELL. Es ist der eine, der sie schützt und nährt.
WALTER. Sie können sich nicht mutig selbst beschützen?
TELL. Dort darf der Nachbar nicht dem Nachbar trauen.
WALTER. Vater, es wird mir eng im weiten Land;
Da wohn ich lieber unter den Lawinen.
TELL. Ja, wohl ist's besser, Kind, die Gletscherberge
Im Rücken haben als die bösen Menschen.
(Sie wollen vorübergehen.)
WALTER. Ei, Vater, sieh den Hut dort auf der Stange.
TELL. Was kümmert uns der Hut? Komm, lass uns gehen.

(Indem er abgehen will, tritt ihm Frießhart mit vorgehaltener Pike entgegen.)

FRIESSHART. In des Kaisers Namen! Haltet an und steht!
TELL *(greift in die Pike).*
Was wollt Ihr? Warum haltet Ihr mich auf?
FRIESSHART.
Ihr habt's Mandat verletzt, Ihr müsst uns folgen.
LEUTHOLD. Ihr habt dem Hut nicht Reverenz bewiesen.
TELL. Freund, lass mich gehen.
FRIESSHART. Fort, fort ins Gefängnis!
WALTER. Den Vater ins Gefängnis! Hilfe! Hilfe!
(In die Szene rufend.)
Herbei, ihr Männer, gute Leute, helft,
Gewalt, Gewalt, sie führen ihn gefangen.

Rösselmann der Pfarrer und Petermann der Sigrist kommen herbei mit drei andern Männern.

SIGRIST. Was gibt's?
RÖSSELMANN. Was legst du Hand an diesen Mann?
FRIESSHART. Er ist ein Feind des Kaisers, ein Verräter!
TELL *(fasst ihn heftig).* Ein Verräter, ich!
RÖSSELMANN. Du irrst dich, Freund das ist
Der Tell, ein Ehrenmann und guter Bürger.
WALTER *(erblickt Walter Fürsten und eilt ihm entgegen).*
Großvater, hilf! Gewalt geschieht dem Vater.
FRIESSHART. Ins Gefängnis, fort!
WALTER FÜRST *(herbeieilend).* Ich leiste Bürgschaft, haltet!
Um Gottes willen, Tell, was ist geschehen?

Melchtal und Stauffacher kommen.

FRIESSHART. Des Landvogts oberherrliche Gewalt
Verachtet er und will sie nicht erkennen.
STAUFFACHER. Das hätt der Tell getan?
MELCHTAL. Das lügst du, Bube!
LEUTHOLD. Er hat dem Hut nicht Reverenz bewiesen.
WALTER FÜRST. Und darum soll er ins Gefängnis? Freund,
Nimm meine Bürgschaft an und lass ihn ledig.
FRIESSHART. Bürg du für dich und deinen eignen Leib!
Wir tun, was unsers Amtes – Fort mit ihm!
MELCHTAL *(zu den Landleuten).*
Nein, das ist schreiende Gewalt! Ertragen wir's,
Dass man ihn fortführt, frech, vor unsern Augen?
SIGRIST. Wir sind die Stärkern. Freunde, duldet's nicht,
Wir haben einen Rücken an den andern!
FRIESSHART. Wer widersetzt sich dem Befehl des Vogts?

Mandat *(lat.)* Erlass, Befehl, Auftrag

NOCH DREI LANDLEUTE *(herbeieilend).*
Wir helfen euch. Was gibt's? Schlagt sie zu Boden!
Hildegard, Mechthild und Elsbeth kommen zurück.
TELL. Ich helfe mir schon selbst. Geht, gute Leute,
Meint ihr, wenn ich die Kraft gebrauchen wollte,
Ich würde mich vor ihren Spießen fürchten?
MELCHTAL *(zu Frießhart).*
Wag's, ihn aus unsrer Mitte wegzuführen!
WALTER FÜRST und STAUFFACHER.
Gelassen! Ruhig!
FRIESSHART *(schreit).* Aufruhr und Empörung!
(Man hört Jagdhörner.)
WEIBER. Da kommt der Landvogt!
FRIESSHART *(erhebt die Stimme).* Meuterei! Empörung!
STAUFFACHER. Schrei, bis du berstest, Schurke!
RÖSSELMANN und MELCHTAL. Willst du schweigen?
FRIESSHART *(ruft noch lauter).*
Zu Hilf, zu Hilf den Dienern des Gesetzes!
WALTER FÜRST.
Da ist der Vogt! Weh uns, was wird das werden!
Geßler zu Pferd, den Falken auf der Faust, Rudolf der Harras, Berta und Rudenz, ein großes Gefolge von bewaffneten Knechten, welche einen Kreis von Piken um die ganze Szene schließen.

Rudolf der Harras Harras = Stallmeister

RUDOLF DER HARRAS.
Platz, Platz dem Landvogt!
GESSLER. Treibt sie auseinander!
Was läuft das Volk zusammen? Wer ruft Hilfe?
(Allgemeine Stille.)
Wer war's? Ich will es wissen.
(Zu Frießhart.)
Du tritt vor!
Wer bist du, und was hältst du diesen Mann?
(Er gibt den Falken einem Diener.)
FRIESSHART. Gestrenger Herr, ich bin dein Waffenknecht
Und wohlbestellter Wächter bei dem Hut.
Diesen Mann ergriff ich über frischer Tat,
Wie er dem Hut den Ehrengruß versagte.
Verhaften wollt' ich ihn, wie du befahlst,
Und mit Gewalt will ihn das Volk entreißen.
GESSLER *(nach einer Pause).*
Verachtest du so deinen Kaiser, Tell,
Und mich, der hier an seiner statt gebietet,

Dass du die Ehr versagst dem Hut, den ich
Zur Prüfung des Gehorsams aufgehangen?
Dein böses Trachten hast du mir verraten.
TELL. Verzeiht mir, lieber Herr! Aus Unbedacht,
Nicht aus Verachtung Eurer ist's geschehn.
Wär ich besonnen, hieß ich nicht der Tell –
Ich bitt um Gnad, es soll nicht mehr begegnen.
GESSLER *(nach einigem Stillschweigen).*
Du bist ein Meister auf der Armbrust, Tell,
Man sagt, du nähmst es auf mit jedem Schützen?
WALTER TELL.
Und das muss wahr sein, Herr – 'nen Apfel schießt
Der Vater dir vom Baum auf hundert Schritte.
GESSLER. Ist das dein Knabe, Tell?
TELL. Ja, lieber Herr.
GESSLER. Hast du der Kinder mehr?
TELL. Zwei Knaben, Herr.
GESSLER. Und welcher ist's, den du am meisten liebst?
TELL. Herr, beide sind sie mir gleich liebe Kinder.
GESSLER. Nun, Tell! Weil du den Apfel triffst vom Baume
Auf hundert Schritte, so wirst du deine Kunst
Vor mir bewähren müssen – Nimm die Armbrust –
Du hast sie gleich zur Hand – und mach dich fertig,
Einen Apfel von des Knaben Kopf zu schießen –
Doch will ich raten, ziele gut, dass du
Den Apfel treffest auf den ersten Schuss,
Denn fehlst du ihn, so ist dein Kopf verloren.
(Alle geben Zeichen des Schreckens.)
TELL. Herr – Welches Ungeheure sinnet Ihr
Mir an – Ich soll vom Haupte meines Kindes
– Nein, nein doch, lieber Herr, das kömmt Euch nicht
Zu Sinn – Verhüt's der gnäd'ge Gott – das könnt Ihr
Im Ernst von einem Vater nicht begehren!
GESSLER. Du wirst den Apfel schießen von dem Kopf
Des Knaben – Ich begehr's und will's.
TELL. Ich soll
Mit meiner Armbrust auf das liebe Haupt
Des eignen Kindes zielen? – Eher sterb ich!
GESSLER. Du schießest oder stirbst mit deinem Knaben.
TELL. Ich soll der Mörder werden meines Kinds!
Herr, Ihr habt keine Kinder – wisset nicht,
Was sich bewegt in eines Vaters Herzen.
GESSLER. Ei, Tell, du bist ja plötzlich so besonnen!

der Tell
Anspielung auf „talen" = kindisch reden

Man sagte mir, dass du ein Träumer seist
Und dich entfernst von andrer Menschen Weise.
Du liebst das Seltsame – Drum hab ich jetzt
Ein eigen Wagstück für dich ausgesucht.
Ein andrer wohl bedächte sich – Du drückst
Die Augen zu und greifst es herzhaft an.
BERTA. Scherzt nicht, o Herr, mit diesen armen Leuten!
Ihr seht sie bleich und zitternd stehn – So wenig
Sind sie Kurzweils gewohnt aus Eurem Munde.
GESSLER. Wer sagt Euch, dass ich scherze?
(Er greift nach einem Baumzweig, der über ihn herhängt.)
Hier ist der Apfel.
Man mache Raum – Er nehme seine Weite,
Wie's Brauch ist – Achtzig Schritte geb ich ihm –
Nicht weniger, noch mehr – Er rühmte sich,
Auf ihrer hundert seinen Mann zu treffen –
Jetzt, Schütze, triff und fehle nicht das Ziel!
RUDOLF DER HARRAS.
Gott, das wird ernsthaft – Falle nieder, Knabe,
Es gilt, und fleh den Landvogt um dein Leben.
WALTER FÜRST
(beiseite zu Melchtal, der kaum seine Ungeduld bezwingt).
Haltet an Euch, ich fleh Euch drum, bleibt ruhig.
BERTA *(zum Landvogt).*
Lasst es genug sein, Herr! Unmenschlich ist's,
Mit eines Vaters Angst also zu spielen.
Wenn dieser arme Mann auch Leib und Leben
Verwirkt durch seine leichte Schuld, bei Gott!
Er hätte jetzt zehnfachen Tod empfunden,
Entlasst ihn ungekränkt in seine Hütte,
Er hat Euch kennen lernen; dieser Stunde
Wird er und seine Kindeskinder denken.
GESSLER. Öffnet die Gasse! – Frisch! Was zauderst du?
Dein Leben ist verwirkt, ich kann dich töten,
Und sieh, ich lege gnädig dein Geschick
In deine eigne kunstgeübte Hand.
Der kann nicht klagen über harten Spruch,
Den man zum Meister seines Schicksals macht.
Du rühmst dich deines sichern Blicks! Wohlan!
Hier gilt es, Schütze, deine Kunst zu zeigen,
Das Ziel ist würdig, und der Preis ist groß!
Das Schwarze treffen in der Scheibe, das
Kann auch ein andrer – der ist mir der Meister,

Der seiner Kunst gewiss ist überall,
Dem 's Herz nicht in die Hand tritt noch ins Auge.
WALTER FÜRST *(wirft sich vor ihm nieder).*
Herr Landvogt, wir erkennen Eure Hoheit,
Doch lasset Gnad vor Recht ergehen, nehmt
Die Hälfte meiner Habe, nehmt sie ganz,
Nur dieses Grässliche erlasset einem Vater!
WALTER TELL.
Großvater, knie nicht vor dem falschen Mann!
Sagt, wo ich hinstehn soll, ich fürcht mich nicht.
Der Vater trifft den Vogel ja im Flug,
Er wird nicht fehlen auf das Herz des Kindes.
STAUFFACHER.
Herr Landvogt, rührt Euch nicht des Kindes Unschuld?
RÖSSELMANN. O denket, dass ein Gott im Himmel ist,
Dem Ihr müsst Rede stehn für Eure Taten.
GESSLER *(zeigt auf den Knaben).*
Man bind ihn an die Linde dort!
WALTER TELL. Mich binden!
Nein, ich will nicht gebunden sein. Ich will
Stillhalten wie ein Lamm, und auch nicht atmen.
Wenn ihr mich bindet, nein, so kann ich's nicht,
So werd ich toben gegen meine Bande.
RUDOLF DER HARRAS.
Die Augen nur lass dir verbinden, Knabe.
WALTER TELL. Warum die Augen? Denket Ihr, ich fürchte
Den Pfeil von Vaters Hand? Ich will ihn fest
Erwarten und nicht zucken mit den Wimpern.
– Frisch, Vater, zeig's, dass du ein Schütze bist!
Er glaubt dir's nicht, er denkt uns zu verderben –
Dem Wütrich zum Verdrusse, schieß und triff.
(Er geht an die Linde, man legt ihm den Apfel auf.)
MELCHTAL *(zu den Landleuten).*
Was? Soll der Frevel sich vor unsern Augen
Vollenden? Wozu haben wir geschworen?
STAUFFACHER. Es ist umsonst. Wir haben keine Waffen,
Ihr seht den Wald von Lanzen um uns her.
MELCHTAL. O hätten wir's mit frischer Tat vollendet,
Verzeih's Gott denen, die zum Aufschub rieten!
GESSLER *(zum Tell).*
Ans Werk! Man führt die Waffen nicht vergebens.
Gefährlich ist's, ein Mordgewehr zu tragen,
Und auf den Schützen springt der Pfeil zurück.

Dies stolze Recht, das sich der Bauer nimmt,
Beleidiget den höchsten Herrn des Landes.
Gewaffnet sei niemand, als wer gebietet.
Freut's euch, den Pfeil zu führen und den Bogen,
Wohl, so will ich das Ziel euch dazu geben.

TELL *(spannt die Armbrust und legt den Pfeil auf).*
Öffnet die Gasse! Platz!

STAUFFACHER.
Was, Tell? Ihr wolltet – Nimmermehr – Ihr zittert,
Die Hand erbebt Euch, Eure Kniee wanken –

TELL *(lässt die Armbrust sinken).*
Mir schwimmt es vor den Augen!

WEIBER. Gott im Himmel!

TELL *(zum Landvogt).*
Erlasset mir den Schuss. Hier ist mein Herz!
(Er reißt die Brust auf.)
Ruft Eure Reisigen und stoßt mich nieder.

GESSLER. Ich will dein Leben nicht, ich will den Schuss.
– Du kannst ja alles, Tell, an nichts verzagst du,
Das Steuerruder führst du wie den Bogen,
Dich schreckt kein Sturm, wenn es zu retten gilt –
Jetzt, Retter, hilf dir selbst – du rettest alle!

(Tell steht in fürchterlichem Kampf, mit den Händen zuckend und die rollenden Augen bald auf den Landvogt, bald zum Himmel gerichtet. – Plötzlich greift er in seinen Köcher, nimmt einen zweiten Pfeil heraus und steckt ihn in seinen Koller. Der Landvogt bemerkt alle diese Bewegungen.)

Köcher Pfeilbehälter
Koller Jacke

WALTER TELL *(unter der Linde).*
Vater, schieß zu, ich fürcht mich nicht.

TELL. Es muss!
(Er rafft sich zusammen und legt an.)

RUDENZ *(der die ganze Zeit über in der heftigsten Spannung gestanden und mit Gewalt an sich gehalten, tritt hervor).*
Herr Landvogt, weiter werdet Ihr's nicht treiben,
Ihr werdet nicht – Es war nur eine Prüfung –
Den Zweck habt Ihr erreicht – Zu weit getrieben
Verfehlt die Strenge ihres weisen Zwecks,
Und allzu straff gespannt zerspringt der Bogen.

GESSLER. Ihr schweigt, bis man Euch aufruft.

RUDENZ. Ich will reden.
Ich darf's! Des Königs Ehre ist mir heilig,
Doch solches Regiment muss Hass erwerben.
Das ist des Königs Wille nicht – Ich darf's

Behaupten – solche Grausamkeit verdient
Mein Volk nicht, dazu habt Ihr keine Vollmacht.
GESSLER. Ha, Ihr erkühnt Euch!
RUDENZ. Ich hab stillgeschwiegen
Zu allen schweren Taten, die ich sah;
Mein sehend Auge hab ich zugeschlossen,
Mein überschwellend und empörtes Herz
Hab ich hinabgedrückt in meinen Busen.
Doch länger schweigen wär Verrat zugleich
An meinem Vaterland und an dem Kaiser.
BERTA *(wirft sich zwischen ihn und den Landvogt).*
O Gott, Ihr reizt den Wütenden noch mehr.
RUDENZ. Mein Volk verließ ich, meinen Blutsverwandten
Entsagt' ich, alle Bande der Natur
Zerriss ich, um an Euch mich anzuschließen –
Das Beste aller glaubt' ich zu befördern,
Da ich des Kaisers Macht befestigte –
Die Binde fällt von meinen Augen – Schaudernd
Seh ich an einen Abgrund mich geführt –
Mein freies Urteil habt Ihr irr geleitet,
Mein redlich Herz verführt – Ich war daran,
Mein Volk in bester Meinung zu verderben.
GESSLER. Verwegner, diese Sprache deinem Herrn?
RUDENZ. Der Kaiser ist mein Herr, nicht Ihr – Frei bin ich
Wie Ihr geboren, und ich messe mich
Mit Euch in jeder ritterlichen Tugend.
Und stündet Ihr nicht hier in Kaisers Namen,
Den ich verehre, selbst wo man ihn schändet,
Den Handschuh würf ich vor Euch hin, Ihr solltet
Nach ritterlichem Brauch mir Antwort geben.
– Ja, winkt nur Euren Reisigen! – Ich stehe
Nicht wehrlos da, wie die – *(auf das Volk zeigend)*
Ich hab ein Schwert,
Und wer mir naht –
STAUFFACHER *(ruft).* Der Apfel ist gefallen!
(Indem sich alle nach dieser Seite gewendet und Berta zwischen Rudenz und den Landvogt sich geworfen, hat Tell den Pfeil abgedrückt.)
RÖSSELMANN. Der Knabe lebt!
VIELE STIMMEN. Der Apfel ist getroffen!
(Walter Fürst schwankt und droht zu sinken, Berta hält ihn.)
GESSLER *(erstaunt).* Er hat geschossen? Wie? Der Rasende!
BERTA. Der Knabe lebt! Kommt zu Euch, guter Vater!

WALTER TELL *(kommt mit dem Apfel gesprungen).*
Vater, hier ist der Apfel – Wusst' ich's ja,
Du würdest deinen Knaben nicht verletzen.
(Tell stand mit vorgebognem Leib, als wollt er dem Pfeil folgen – die Armbrust entsinkt seiner Hand – wie er den Knaben kommen sieht, eilt er ihm mit ausgebreiteten Armen entgegen und hebt ihn mit heftiger Inbrunst zu seinem Herzen hinauf, in dieser Stellung sinkt er kraftlos zusammen. Alle stehen gerührt.)
BERTA. O güt'ger Himmel!
WALTER FÜRST *(zu Vater und Sohn).*
Kinder! Meine Kinder!
STAUFFACHER. Gott sei gelobt!
LEUTHOLD. Das war ein Schuss! Davon
Wird man noch reden in den spätsten Zeiten.
RUDOLF DER HARRAS.
Erzählen wird man von dem Schützen Tell,
Solang die Berge stehn auf ihrem Grunde.
(Er reicht dem Landvogt den Apfel.)
GESSLER. Bei Gott! Der Apfel mitten durchgeschossen!
Es war ein Meisterschuss, ich muss ihn loben.
RÖSSELMANN. Der Schuss war gut, doch wehe dem, der ihn
Dazu getrieben, dass er Gott versuchte.
STAUFFACHER.
Kommt zu Euch, Tell, steht auf, Ihr habt Euch männlich
Gelöst, und frei könnt Ihr nach Hause gehen.
RÖSSELMANN.
Kommt, kommt und bringt der Mutter ihren Sohn!
(Sie wollen ihn wegführen.)
GESSLER. Tell, höre!
TELL *(kommt zurück).* Was befehlt Ihr, Herr?
GESSLER. Du stecktest
Noch einen zweiten Pfeil zu dir – Ja, ja,
Ich sah es wohl – Was meintest du damit?
TELL *(verlegen).*
Herr, das ist also bräuchlich bei den Schützen.
GESSLER. Nein, Tell, die Antwort lass ich dir nicht gelten;
Es wird was anders wohl bedeutet haben.
Sag mir die Wahrheit frisch und fröhlich, Tell!
Was es auch sei, dein Leben sichr' ich dir.
Wozu der zweite Pfeil?
TELL. Wohlan, o Herr,
Weil Ihr mich meines Lebens habt gesichert,
So will ich Euch die Wahrheit gründlich sagen.

↓ Geständnis

(Er zieht den Pfeil aus dem Koller und sieht den Landvogt mit einem furchtbaren Blick an.)

Mit diesem zweiten Pfeil durchschoss ich – Euch,
Wenn ich mein liebes Kind getroffen hätte,
Und Eurer – wahrlich! hätt ich nicht gefehlt.

GESSLER. Wohl, Tell! Des Lebens hab ich dich gesichert,
Ich gab mein Ritterwort, das will ich halten –
Doch weil ich deinen bösen Sinn erkannt,
Will ich dich führen lassen und verwahren,
Wo weder Mond noch Sonne dich bescheint,
Damit ich sicher sei vor deinen Pfeilen.
Ergreift ihn, Knechte! Bindet ihn!

(Tell wird gebunden.)

↓ streitgespräch

STAUFFACHER. Wie Herr?
So könntet Ihr an einem Manne handeln,
An dem sich Gottes Hand sichtbar verkündigt?

GESSLER. Lass sehn, ob sie ihn zweimal retten wird.
Man bring ihn auf mein Schiff, ich folge nach
Sogleich, ich selbst will ihn nach Küssnacht führen.

RÖSSELMANN.
Ihr wollt ihn außer Lands gefangen führen?

LANDLEUTE.
Das dürft Ihr nicht, das darf der Kaiser nicht,
Das widerstreitet unsern Freiheitsbriefen!

GESSLER. Wo sind sie? Hat der Kaiser sie bestätigt?
Er hat sie nicht bestätigt. – Diese Gunst
Muss erst erworben werden durch Gehorsam.
Rebellen seid ihr alle gegen Kaisers
Gericht und nährt verwegene Empörung.
Ich kenn euch alle – ich durchschau euch ganz –
Den nehm ich jetzt heraus aus eurer Mitte,
Doch alle seid ihr teilhaft seiner Schuld:
Wer klug ist, lerne schweigen und gehorchen.

(Er entfernt sich, Berta, Rudenz, Harras und Knechte folgen, Frießhart und Leuthold bleiben zurück.)

2.

WALTER FÜRST *(in heftigem Schmerz).*
Es ist vorbei; er hat's beschlossen, mich
Mit meinem ganzen Hause zu verderben!

STAUFFACHER *(zum Tell).*
O warum musstet Ihr den Wütrich reizen!

TELL. Bezwinge sich, wer meinen Schmerz gefühlt!

STAUFFACHER. O nun ist alles, alles hin! Mit Euch
Sind wir gefesselt alle und gebunden!

Unruhig & besorgt manche wütend
Sie wollen Tells Verhaftung verhindern
anfangs sachlich später aggressiv

LANDLEUTE *(umringen den Tell).*
Mit Euch geht unser letzter Trost dahin!
LEUTHOLD *(nähert sich).*
Tell, es erbarmt mich – doch ich muss gehorchen.
TELL. Lebt wohl!
WALTER TELL *(sich mit heftigem Schmerz an ihn schmiegend).*
O Vater! Vater! Lieber Vater!
TELL *(hebt die Arme zum Himmel).*
Dort droben ist dein Vater! Den ruf an!
STAUFFACHER. Tell, sag ich Eurem Weibe nichts von Euch?
TELL *(hebt den Knaben mit Inbrunst an seine Brust).*
Der Knab ist unverletzt, mir wird Gott helfen.
3. *(Reißt sich schnell los und folgt den Waffenknechten.)*

Die Leute sind wütend auf Gessler

VIERTER AUFZUG

ERSTE SZENE

Östliches Ufer des Vierwaldstättensees.

Die seltsam gestalteten schroffen Felsen im Westen schließen den Prospekt. Der See ist bewegt, heftiges Rauschen und Tosen, dazwischen Blitze und Donnerschläge.

Kunz von Gersau. Fischer und Fischerknabe.

KUNZ. Ich sah's mit Augen an, Ihr könnt mir's glauben,
's ist alles so geschehn, wie ich Euch sagte.
FISCHER. Der Tell gefangen abgeführt nach Küssnacht,
Der beste Mann im Land, der bravste Arm,
Wenn's einmal gelten sollte für die Freiheit.
KUNZ. Der Landvogt führt ihn selbst den See herauf;
Sie waren eben dran, sich einzuschiffen,
Als ich von Flüelen abfuhr, doch der Sturm,
Der eben jetzt im Anzug ist und der
Auch mich gezwungen, eilends hier zu landen,
Mag ihre Abfahrt wohl verhindert haben.
FISCHER. Der Tell in Fesseln, in des Vogts Gewalt!
O glaubt, er wird ihn tief genug vergraben,
Dass er des Tages Licht nicht wieder sieht!
Denn fürchten muss er die gerechte Rache
Des freien Mannes, den er schwer gereizt!
KUNZ. Der Altlandammann auch, der edle Herr
Von Attinghausen, sagt man, lieg am Tode.
FISCHER. So bricht der letzte Anker unsrer Hoffnung!
Der war es noch allein, der seine Stimme
Erheben durfte für des Volkes Rechte!
KUNZ. Der Sturm nimmt überhand. Gehabt Euch wohl,
Ich nehme Herberg in dem Dorf, denn heut
Ist doch an keine Abfahrt mehr zu denken. *(Geht ab.)*
FISCHER. Der Tell gefangen und der Freiherr tot!
Erheb die freche Stirne, Tyrannei,
Wirf alle Scham hinweg! Der Mund der Wahrheit
Ist stumm, das seh'nde Auge ist geblendet,
Der Arm, der retten sollte, ist gefesselt!
KNABE. Es hagelt schwer, kommt in die Hütte, Vater,
Es ist nicht kommlich, hier im Freien hausen.

kommlich
bekömmlich

FISCHER. Raset, ihr Winde, flammt herab, ihr Blitze!
Ihr Wolken berstet, gießt herunter, Ströme
Des Himmels, und ersäuft das Land! Zerstört
Im Keim die ungeborenen Geschlechter!
Ihr wilden Elemente, werdet Herr,
Ihr Bären kommt, ihr alten Wölfe wieder
Der großen Wüste, euch gehört das Land –
Wer wird hier leben wollen ohne Freiheit!
KNABE. Hört, wie der Abgrund tost, der Wirbel brüllt,
So hat's noch nie gerast in diesem Schlunde!
FISCHER. Zu zielen auf des eignen Kindes Haupt,
Solches ward keinem Vater noch geboten!
Und die Natur soll nicht in wildem Grimm
Sich drob empören – Oh, mich soll's nicht wundern,
Wenn sich die Felsen bücken in den See,
Wenn jene Zacken, jene Eisestürme,
Die nie auftauten seit dem Schöpfungstag,
Von ihren hohen Kulmen niederschmelzen,
Wenn die Berge brechen, wenn die alten Klüfte
Einstürzen, eine zweite Sündflut alle
Wohnstätten der Lebendigen verschlingt!

Kulmen Bergkuppen

(Man hört läuten.)

KNABE. Hört Ihr, sie läuten droben auf dem Berg,
Gewiss hat man ein Schiff in Not gesehn
Und zieht die Glocke, dass gebetet werde.
(Steigt auf eine Anhöhe.)
FISCHER. Wehe dem Fahrzeug, das, jetzt unterwegs,
In dieser furchtbar'n Wiege wird gewiegt!
Hier ist das Steuer unnütz und der Steurer,
Der Sturm ist Meister, Wind und Welle spielen
Ball mit dem Menschen – Da ist nah und fern
Kein Busen, der ihm freundlich Schutz gewährte!
Handlos und schroff ansteigend starren ihm
Die Felsen, die unwirtlichen, entgegen
Und weisen ihm nur ihre steinern schroffe Brust.
KNABE *(deutet links).*
Vater, ein Schiff, es kommt von Flüelen her.
FISCHER. Gott helf den armen Leuten! Wenn der Sturm
In dieser Wasserkluft sich erst verfangen,
Dann rast er um sich mit des Raubtiers Angst,
Das an des Gitters Eisenstäbe schlägt;
Die Pforte sucht er heulend sich vergebens,
Denn ringsum schränken ihn die Felsen ein,

Die himmelhoch den engen Pass vermauern.
(Er steigt auf die Anhöhe.)
KNABE. Es ist das Herrenschiff von Uri, Vater,
Ich kenn's am roten Dach und an der Fahne.
FISCHER. Gerichte Gottes! Ja, er ist es selbst,
Der Landvogt, der da fährt – Dort schifft er hin
Und führt im Schiffe sein Verbrechen mit!
Schnell hat der Arm des Rächers ihn gefunden,
Jetzt kennt er über sich den stärkern Herrn,
Diese Wellen geben nicht auf seine Stimme,
Diese Felsen bücken ihre Häupter nicht
Vor seinem Hute – Knabe, bete nicht,
Greif nicht dem Richter in den Arm!
KNABE. Ich bete für den Landvogt nicht – Ich bete
Für den Tell, der auf dem Schiff sich mit befindet.
FISCHER. O Unvernunft des blinden Elements!
Musst du, um e i n e n Schuldigen zu treffen,
Das Schiff mitsamt dem Steuermann verderben?
KNABE. Sieh, sieh, sie waren glücklich schon vorbei
Am Buggisgrat, doch die Gewalt des Sturms,
Der von dem Teufelsmünster widerprallt,
Wirft sie zum großen Axenberg zurück.
– Ich seh sie nicht mehr.
FISCHER. Dort ist das Hakmesser,
Wo schon der Schiffe mehrere gebrochen.
Wenn sie nicht weislich dort vorüberlenken,
So wird das Schiff zerschmettert an der Fluh,
Die sich gähstotzig absenkt in die Tiefe.
– Sie haben einen guten Steuermann
Am Bord: könnt e i n e r retten, wär's der Tell;
Doch dem sind Arm und Hände ja gefesselt.
W i l h e l m T e l l mit der Armbrust.
(Er kommt mit raschen Schritten, blickt erstaunt umher und zeigt die heftigste Bewegung. Wenn er mitten auf der Szene ist, wirft er sich nieder, die Hände zu der Erde und dann zum Himmel ausbreitend.)
KNABE *(bemerkt ihn).*
Sieh, Vater, wer der Mann ist, der dort kniet?
FISCHER. Er fasst die Erde an mit seinen Händen
Und scheint wie außer sich zu sein.
KNABE *(kommt vorwärts).*
Was seh ich! Vater! Vater, kommt und seht!
FISCHER *(nähert sich).*

Buggisgrat und **Axenberg** am östlichen Ufer des Sees
Teufelsmünster am westlichen Ufer

Fluh
Felsenwand

gähstotzig
jäh – steil

Wer ist es? – Gott im Himmel! Was! der Tell?
Wie kommt Ihr hierher? Redet!
KNABE. Wart Ihr nicht
Dort auf dem Schiff gefangen und gebunden?
FISCHER. Ihr wurdet nicht nach Küssnacht abgeführt?
TELL *(steht auf)*. Ich bin befreit.
FISCHER und KNABE. Befreit! O Wunder Gottes!
KNABE. Wo kommt Ihr her?
TELL. Dort aus dem Schiffe.
FISCHER. Was?
KNABE *(zugleich)*. Wo ist der Landvogt?
TELL. Auf den Wellen treibt er.
FISCHER. Ist's möglich? Aber Ihr? Wie seid Ihr hier?
Seid Euren Banden und dem Sturm entkommen?
TELL. Durch Gottes gnäd'ge Fürsehung – Hört an!
FISCHER und KNABE. O redet, redet!
TELL. Was in Altdorf sich
Begeben, wisst ihr's?
FISCHER. Alles weiß ich, redet!
TELL. Dass mich der Landvogt fahen ließ und binden,
Nach seiner Burg zu Küssnacht wollte führen.
FISCHER. Und sich mit Euch zu Flüelen eingeschifft!
Wir wissen alles, sprecht, wie Ihr entkommen?
TELL. Ich lag im Schiff, mit Stricken fest gebunden,
Wehrlos, ein aufgegebner Mann – Nicht hofft' ich,
Das frohe Licht der Sonne mehr zu sehn,
Der Gattin und der Kinder liebes Antlitz,
Und trostlos blickt' ich in die Wasserwüste –
FISCHER. O armer Mann!
TELL. So fuhren wir dahin,
Der Vogt, Rudolf der Harras und die Knechte.
Mein Köcher aber mit der Armbrust lag
Am hintern Gransen bei dem Steuerruder.
Und als wir an die Ecke jetzt gelangt
Beim kleinen Axen, da verhängt' es Gott,
Dass solch ein grausam mördrisch Ungewitter
Gählings herfürbrach aus des Gotthards Schlünden,
Dass allen Ruderern das Herz entsank,
Und meinten alle, elend zu ertrinken.
Da hört' ich's, wie der Diener einer sich
Zum Landvogt wendet' und die Worte sprach:
„Ihr sehet Eure Not und unsre, Herr,
Und dass wir all am Rand des Todes schweben –

Gransen Schiffsschnabel

Die Steuerleute aber wissen sich
Für großer Furcht nicht Rat und sind des Fahrens
Nicht wohl berichtet – Nun aber ist der Tell
Ein starker Mann und weiß ein Schiff zu steuern –
Wie, wenn wir sein jetzt brauchten in der Not?“
Da sprach der Vogt zu mir: „Tell, wenn du dir's
Getrautest, uns zu helfen aus dem Sturm,
So möcht ich dich der Bande wohl entled'gen.“
Ich aber sprach: „Ja, Herr, mit Gottes Hilfe
Getrau ich mir's und helf uns wohl hiedannen.“
So ward ich meiner Bande los und stand
Am Steuerruder und fuhr redlich hin.
Doch schielt' ich seitwärts, wo mein Schießzeug lag,
Und an dem Ufer merkt' ich scharf umher,
Wo sich ein Vorteil auftät zum Entspringen.
Und wie ich eines Felsenriffs gewahre,
Das abgeplattet vorsprang in den See –

FISCHER. Ich kenn's, es ist am Fuß des großen Axen,
Doch nicht für möglich acht ich's – so gar steil
Geht's an – vom Schiff es springend abzureichen –

TELL. Schrie ich den Knechten, handlich zuzugehn, →
Bis dass wir vor die Felsenplatte kämen,
Dort, rief ich, sei das Ärgste überstanden –
Und als wir sie frischrudernd bald erreicht,
Fleh ich die Gnade Gottes an und drücke,
Mit allen Leibeskräften angestemmt,
Den hintern Gransen an die Felswand hin –
Jetzt, schnell mein Schießzeug fassend, schwing ich selbst
Hochspringend auf die Platte mich hinauf,
Und mit gewalt'gem Fußstoß hinter mich
Schleud'r ich das Schifflein in den Schlund der Wasser –
Dort mag's, wie Gott will, auf den Wellen treiben!
So bin ich hier, gerettet aus des Sturms
Gewalt und aus der schlimmeren der Menschen.

FISCHER. Tell, Tell, ein sichtbar Wunder hat der Herr
An Euch getan, kaum glaub ich's meinen Sinnen –
Doch saget! Wo gedenket Ihr jetzt hin?
Denn Sicherheit ist nicht für Euch, wofern
Der Landvogt lebend diesem Sturm entkommt.

TELL. Ich hört' ihn sagen, da ich noch im Schiff
Gebunden lag, er woll bei Brunnen landen
Und über Schwyz nach seiner Burg mich führen.

FISCHER. Will er den Weg dahin zu Lande nehmen?

Arth
an der Südspitze
des Zuger Sees

TELL. Er denkt's.
FISCHER. O so verbergt Euch ohne Säumen,
Nicht zweimal hilft Euch Gott aus seiner Hand.
TELL. Nennt mir den nächsten Weg nach Arth und Küssnacht.
FISCHER. Die offne Straße zieht sich über Steinen,
Doch einen kürzern Weg und heimlichern
Kann Euch mein Knabe über Lowerz führen.
TELL *(gibt ihm die Hand).*
Gott lohn Euch Eure Guttat. Lebet wohl.
(Geht und kehrt wieder um.)
– Habt Ihr nicht auch im Rütli mit geschworen?
Mir deucht, man nannt' Euch mir –
FISCHER. Ich war dabei
Und hab den Eid des Bundes mit beschworen.
TELL. So eilt nach Bürglen, tut die Lieb mir an,
Mein Weib verzagt um mich, verkündet ihr,
Dass ich gerettet sei und wohl geborgen.
FISCHER. Doch wohin sag ich ihr, dass Ihr geflohn?
TELL. Ihr werdet meinen Schwäher bei ihr finden
Und andre, die im Rütli mitgeschworen –
Sie sollen wacker sein und guten Muts:
Der Tell sei frei und seines Armes mächtig,
Bald werden sie ein Weitres von mir hören.
FISCHER. Was habt Ihr im Gemüt? Entdeckt mir's frei.
TELL. Ist es getan, wirds auch zur Rede kommen.
(Geht ab.)
FISCHER. Zeig ihm den Weg, Jenni – Gott steh ihm bei!
Er führt's zum Ziel, was er auch unternommen.
(Geht ab.)

ZWEITE SZENE

Edelhof zu Attinghausen.

Der Freiherr, in einem Armsessel, sterbend. Walter Fürst, Stauffacher, Melchtal und Baumgarten um ihn beschäftigt. Walter Tell, kniend vor dem Sterbenden.

WALTER FÜRST. Es ist vorbei mit ihm, er ist hinüber.
STAUFFACHER. Er liegt nicht wie ein Toter – Seht, die Feder
Auf seinen Lippen regt sich! Ruhig ist
Sein Schlaf, und friedlich lächeln seine Züge.

(Baumgarten geht an die Tür und spricht mit jemand.)
WALTER FÜRST *(zu Baumgarten).* Wer ist's?
BAUMGARTEN *(kommt zurück).*
Es ist Frau Hedwig, Eure Tochter,
Sie will Euch sprechen, will den Knaben sehn.
(Walter Tell richtet sich auf.)
WALTER FÜRST. Kann ich sie trösten? Hab ich selber Trost?
Häuft alles Leiden sich auf meinem Haupt?
HEDWIG *(hereindringend).*
Wo ist mein Kind? Lasst mich, ich muss es sehn –
STAUFFACHER.
Fasst Euch, bedenkt, dass Ihr im Haus des Todes –
HEDWIG *(stürzt auf den Knaben).*
Mein Wälti! O er lebt mir!
WALTER TELL *(hängt an ihr).* Arme Mutter!
HEDWIG. Ist's auch gewiss? Bist du mir unverletzt?
(Betrachtet ihn mit ängstlicher Sorgfalt.)
Und ist es möglich? Konnt' er auf dich zielen?
Wie konnt' er's? O er hat kein Herz – Er konnte
Den Pfeil abdrücken auf sein eignes Kind!
WALTER FÜRST.
Er tat's mit Angst, mit schmerzzerrissner Seele,
Gezwungen tat er's, denn es galt das Leben.
HEDWIG. O hätt er eines Vaters Herz, eh er's
Getan, er wäre tausend Mal gestorben!
STAUFFACHER. Ihr solltet Gottes gnäd'ge Schickung preisen,
Die es so gut gelenkt –
HEDWIG. Kann ich vergessen,
Wie's hätte kommen können – Gott des Himmels!
Und lebt ich achtzig Jahr – ich seh den Knaben ewig
Gebunden stehn, den Vater auf ihn zielen,
Und ewig fliegt der Pfeil mir in das Herz.
MELCHTAL. Frau, wüsstet Ihr, wie ihn der Vogt gereizt!
HEDWIG. O rohes Herz der Männer! Wenn ihr Stolz
Beleidigt wird, dann achten sie nichts mehr,
Sie setzen in der blinden Wut des Spiels
Das Haupt des Kindes und das Herz der Mutter!
BAUMGARTEN. Ist Eures Mannes Los nicht hart genug,
Dass Ihr mit schwerem Tadel ihn noch kränkt?
Für seine Leiden habt ihr kein Gefühl?
HEDWIG *(kehrt sich nach ihm um und sieht ihn mit einem großen Blick an).*
Hast du nur Tränen für des Freundes Unglück?

– Wo waret ihr, da man den Trefflichen
In Bande schlug? Wo war da eure Hilfe?
Ihr sahet zu, ihr ließt das Grässliche geschehn,
Geduldig littet ihr's, dass man den Freund
Aus eurer Mitte führte – Hat der Tell
Auch so an euch gehandelt? Stand er auch
Bedauernd da, als hinter dir die Reiter
Des Landvogts drangen, als der wüt'ge See
Vor dir erbrauste? Nicht mit müß'gen Tränen
Beklagt' er dich, in den Nachen sprang er, Weib
Und Kind vergaß er und befreite dich –
WALTER FÜRST. Was konnten wir zu seiner Rettung wagen,
Die kleine Zahl, die unbewaffnet war!
HEDWIG *(wirft sich an seine Brust).*
O Vater! Und auch du hast ihn verloren!
Das Land, wir alle haben ihn verloren!
Uns allen fehlt er, ach, wir fehlen ihm!
Gott rette seine Seele vor Verzweiflung.
Zu ihm hinab ins öde Burgverlies
Dringt keines Freundes Trost – Wenn er erkrankte!
Ach, in des Kerkers feuchter Finsternis
Muss er erkranken – Wie die Alpenrose
Bleicht und verkümmert in der Sumpfesluft,
So ist für ihn kein Leben als im Licht
Der Sonne, in dem Balsamstrom der Lüfte.
Gefangen! Er! Sein Atem ist die Freiheit,
Er kann nicht leben in dem Hauch der Grüfte.
STAUFFACHER. Beruhigt Euch. Wir alle wollen handeln,
Um seinen Kerker aufzutun.
HEDWIG. Was könnt ihr schaffen ohne ihn? – Solang
Der Tell noch frei war, ja, da war noch Hoffnung,
Da hatte noch die Unschuld einen Freund,
Da hatte einen Helfer der Verfolgte,
Euch alle rettete der Tell – Ihr alle
Zusammen könnt nicht seine Fesseln lösen!
(Der Freiherr erwacht.)
BAUMGARTEN.
Er regt sich, still!
ATTINGHAUSEN *(sich aufrichtend).*
Wo ist er?
STAUFFACHER. Wer?
ATTINGHAUSEN. Er fehlt mir,
Verlässt mich in dem letzten Augenblick!

STAUFFACHER.
Er meint den Junker – Schickte man nach ihm?
WALTER FÜRST. Es ist nach ihm gesendet – Tröstet Euch!
Er hat sein Herz gefunden, er ist unser.
ATTINGHAUSEN. Hat er gesprochen für sein Vaterland?
STAUFFACHER. Mit Heldenkühnheit.
ATTINGHAUSEN. Warum kommt er nicht,
Um meinen letzten Segen zu empfangen?
Ich fühle, dass es schleunig mit mir endet.
STAUFFACHER. Nicht also, edler Herr! Der kurze Schlaf
Hat Euch erquickt, und hell ist Euer Blick!
ATTINGHAUSEN.
Der Schmerz ist Leben, er verließ mich auch;
Das Leiden ist, so wie die Hoffnung, aus.
(Er bemerkt den Knaben.)
Wer ist der Knabe?
WALTER FÜRST. Segnet ihn, o Herr!
Er ist mein Enkel und ist vaterlos.
(Hedwig sinkt mit dem Knaben vor dem Sterbenden nieder.)
ATTINGHAUSEN. Und vaterlos lass ich euch alle, alle
Zurück – Weh mir, dass meine letzten Blicke
Den Untergang des Vaterlands gesehn!
Musst ich des Lebens höchstes Maß erreichen,
Um ganz mit allen Hoffnungen zu sterben!
STAUFFACHER *(zu Walter Fürst).*
Soll er in diesem finstern Kummer scheiden?
Erhellen wir ihm nicht die letzte Stunde
Mit schönem Strahl der Hoffnung? – Edler Freiherr!
Erhebet Euren Geist! Wir sind nicht ganz
Verlassen, sind nicht rettungslos verloren.
ATTINGHAUSEN.
Wer soll euch retten?
WALTER FÜRST. Wir uns selbst. Vernehmt!
Es haben die drei Lande sich das Wort
Gegeben, die Tyrannen zu verjagen.
Geschlossen ist der Bund, ein heil'ger Schwur
Verbindet uns. Es wird gehandelt werden,
Eh noch das Jahr den neuen Kreis beginnt.
Euer Staub wird ruhn in einem freien Lande.
ATTINGHAUSEN. O saget mir! Geschlossen ist der Bund?
MELCHTAL. Am gleichen Tage werden alle drei
Waldstätte sich erheben. Alles ist
Bereit und das Geheimnis wohl bewahrt

Bis jetzt, obgleich viel Hunderte es teilen.
Hohl ist der Boden unter den Tyrannen,
Die Tage ihrer Herrschaft sind gezählt,
Und bald ist ihre Spur nicht mehr zu finden.
ATTINGHAUSEN. Die festen Burgen aber in den Landen?
MELCHTAL. Sie fallen alle an dem gleichen Tag.
ATTINGHAUSEN.
Und sind die Edeln dieses Bunds teilhaftig?
STAUFFACHER. Wir harren ihres Beistands, wenn es gilt;
Jetzt aber hat der Landmann nur geschworen.
ATTINGHAUSEN *(richtet sich langsam in die Höhe mit großem Erstaunen).* Hat sich der Landmann solcher Tat verwogen,
Aus eignem Mittel, ohne Hilf der Edeln,
Hat er der eignen Kraft so viel vertraut –
Ja, dann bedarf es unserer nicht mehr,
Getröstet können wir zu Grabe steigen,
Es lebt nach uns – durch andre Kräfte will
Das Herrliche der Menschheit sich erhalten.
(Er legt seine Hand auf das Haupt des Kindes, das vor ihm auf den Knien liegt.)
Aus diesem Haupte, wo der Apfel lag,
Wird euch die neue bess're Freiheit grünen;
Das Alte stürzt, es ändert sich die Zeit,
Und neues Leben blüht aus den Ruinen.
STAUFFACHER *(zu Walter Fürst).*
Seht, welcher Glanz sich um sein Aug ergießt!
Das ist nicht das Erlöschen der Natur,
Das ist der Strahl schon eines neuen Lebens.
ATTINGHAUSEN. Der Adel steigt von seinen alten Burgen
Und schwört den Städten seinen Bürgereid;
Im Üchtland schon, im Thurgau hat's begonnen,
Die edle Bern erhebt ihr herrschend Haupt,
Freiburg ist eine sichre Burg der Freien,
Die rege Zürich waffnet ihre Zünfte
Zum kriegerischen Heer – Es bricht die Macht
Der Könige sich an ihren ew'gen Wällen –
(Er spricht das Folgende mit dem Ton eines Sehers – seine Rede steigt bis zur Begeisterung.)
Die Fürsten seh ich und die edeln Herrn
In Harnischen herangezogen kommen,
Ein harmlos Volk von Hirten zu bekriegen.
Auf Tod und Leben wird gekämpft, und herrlich
Wird mancher Pass durch blutige Entscheidung.

Üchtland der heutige Kanton Freiburg

Der Landmann stürzt sich mit der nackten Brust,
Ein freies Opfer, in die Schar der Lanzen,
Er bricht sie, und des Adels Blüte fällt,
Es hebt die Freiheit siegend ihre Fahne.
(Walter Fürsts und Stauffachers Hände fassend.)
Drum haltet fest zusammen – fest und ewig –
Kein Ort der Freiheit sei dem andern fremd –
Hochwachten stellet aus auf euren Bergen,
Dass sich der Bund zum Bunde rasch versammle –
Seid einig – einig – einig –

(Er fällt in das Kissen zurück – seine Hände halten entseelt noch die andern gefasst. Fürst und Stauffacher betrachten ihn noch eine Zeit lang schweigend; dann treten sie hinweg, jeder seinem Schmerz überlassen. Unterdessen sind die Knechte still hereingedrungen, sie nähern sich mit Zeichen eines stillern oder heftigern Schmerzens, einige knien bei ihm nieder und weinen auf seine Hand; während dieser stummen Szene wird die Burgglocke geläutet.)

Rudenz zu den Vorigen.

RUDENZ *(rasch eintretend).*
Lebt er? O saget, kann er mich noch hören?
WALTER FÜRST *(deutet hin mit weggewandtem Gesicht).*
Ihr seid jetzt unser Lehensherr und Schirmer,
Und dieses Schloss hat einen andern Namen.
RUDENZ *(erblickt den Leichnam und steht von heftigem Schmerz ergriffen).*
O güt'ger Gott! – Kommt meine Reu zu spät?
Konnt' er nicht wen'ge Pulse länger leben,
Um mein geändert Herz zu sehn?
Verachtet hab ich seine treue Stimme,
Da er noch wandelte im Licht – Er ist
Dahin, ist fort auf immerdar und lässt mir
Die schwere, unbezahlte Schuld! – O saget!
Schied er dahin im Unmut gegen mich?
STAUFFACHER. Er hörte sterbend noch, was Ihr getan,
Und segnete den Mut, mit dem Ihr spracht!
RUDENZ *(kniet vor dem Toten nieder).*
Ja, heil'ge Reste eines teuren Mannes!
Entseelter Leichnam! Hier gelob ich dir's
In deine kalte Totenhand – Zerrissen
Hab ich auf ewig alle fremden Bande,
Zurückgegeben bin ich meinem Volk,
Ein Schweizer bin ich, und ich will es sein
Von ganzer Seele – –

(Aufstehend.)
Trauert um den Freund,
Den Vater aller, doch verzaget nicht!
Nicht bloß sein Erbe ist mir zugefallen,
Es steigt sein Herz, sein Geist auf mich herab,
Und leisten soll euch meine frische Jugend,
Was euch sein greises Alter schuldig blieb.
– Ehrwürd'ger Vater, gebt mir Eure Hand!
Gebt mir die Eurige! Melchtal, auch Ihr!
Bedenkt Euch nicht! O wendet Euch nicht weg!
Empfanget meinen Schwur und mein Gelübde.

WALTER FÜRST.
Gebt ihm die Hand. Sein wiederkehrend Herz
Verdient Vertraun.

MELCHTAL. Ihr habt den Landmann nichts geachtet.
Sprecht, wessen soll man sich zu Euch versehn?

RUDENZ. O denket nicht des Irrtums meiner Jugend!

STAUFFACHER *(zu Melchtal).*
Seid einig! war das letzte Wort des Vaters,
Gedenket dessen!

MELCHTAL. Hier ist meine Hand!
Des Bauern Handschlag, edler Herr, ist auch
Ein Manneswort! Was ist der Ritter ohne uns?
Und unser Stand ist älter als der Eure.

RUDENZ.
Ich ehr ihn, und mein Schwert soll ihn beschützen.

MELCHTAL. Der Arm, Herr Freiherr, der die harte Erde
Sich unterwirft und ihren Schoß befruchtet,
Kann auch des Mannes Brust beschützen.

RUDENZ. Ihr
Sollt meine Brust, ich will die eure schützen,
So sind wir einer durch den andern stark.
– Doch wozu reden, da das Vaterland
Ein Raub noch ist der fremden Tyrannei?
Wenn erst der Boden rein ist von dem Feind,
Dann wollen wir's in Frieden schon vergleichen.
(Nachdem er einen Augenblick innegehalten.)
Ihr schweigt? Ihr habt mir nichts zu sagen? Wie!
Verdien ich's noch nicht, dass ihr mir vertraut?
So muss ich wider euren Willen mich
In das Geheimnis eures Bundes drängen.
– Ihr habt getagt – geschworen auf dem Rütli –
Ich weiß – weiß alles, was ihr dort verhandelt;

Und was mir nicht von euch vertrauet ward,
Ich hab's bewahrt gleich wie ein heilig Pfand.
Nie war ich meines Landes Feind, glaubt mir,
Und niemals hätt ich gegen euch gehandelt.
– Doch übel tatet ihr, es zu verschieben,
Die Stunde dringt, und rascher Tat bedarf's –
Der Tell ward schon ein Opfer eures Säumens –
STAUFFACHER. Das Christfest abzuwarten, schwuren wir.
RUDENZ. Ich war nicht dort, ich hab nicht mitgeschworen.
Wartet ihr ab, ich handle.
MELCHTAL. Was? Ihr wolltet –
RUDENZ. Des Landes Vätern zähl ich mich jetzt bei,
Und meine erste Pflicht ist, euch zu schützen.
WALTER FÜRST. Der Erde diesen teuren Staub zu geben,
Ist Eure nächste Pflicht und heiligste.
RUDENZ. Wenn wir das Land befreit, dann legen wir
Den frischen Kranz des Siegs ihm auf die Bahre.
– O Freunde! Eure Sache nicht allein,
Ich habe meine eigne auszufechten
Mit dem Tyrannen – Hört und wisst! Verschwunden
Ist meine Berta, heimlich weggeraubt,
Mit kecker Freveltat, aus unsrer Mitte!
STAUFFACHER. Solcher Gewalttat hätte der Tyrann
Wider die freie Edle sich verwogen?
RUDENZ. O meine Freunde! Euch versprach ich Hilfe,
Und ich zuerst muss sie von euch erflehn.
Geraubt, entrissen ist mir die Geliebte,
Wer weiß, wo sie der Wütende verbirgt,
Welcher Gewalt sie frevelnd sich erkühnen,
Ihr Herz zu zwingen zum verhassten Band!
Verlasst mich nicht, o helft mir sie erretten –
Sie liebt euch, o sie hat's verdient ums Land,
Dass alle Arme sich für sie bewaffnen –
WALTER FÜRST. Was wollt Ihr unternehmen?
RUDENZ. Weiß ich's? Ach!
In dieser Nacht, die ihr Geschick umhüllt,
In dieses Zweifels ungeheurer Angst,
Wo ich nichts Festes zu erfassen weiß,
Ist mir nur dieses in der Seele klar:
Unter den Trümmern der Tyrannenmacht
Allein kann sie hervorgegraben werden,
Die Festen alle müssen wir bezwingen,
Ob wir vielleicht in ihren Kerker dringen.

MELCHTAL. Kommt, führt uns an. Wir folgen Euch.
Warum bis morgen sparen, was wir heut vermögen?
Frei war der Tell, als wir im Rütli schwuren,
Das Ungeheure war noch nicht geschehen.
Es bringt die Zeit ein anderes Gesetz –
Wer ist so feig, der jetzt noch könnte zagen!
RUDENZ *(zu Stauffacher und Walter Fürst).*
Indes bewaffnet und zum Werk bereit
Erwartet ihr der Berge Feuerzeichen,
Denn schneller, als ein Botensegel fliegt,
Soll euch die Botschaft unsers Siegs erreichen.
Und seht ihr leuchten die willkommnen Flammen,
Dann auf die Feinde stürzt wie Wetters Strahl,
Und brecht den Bau der Tyrannei zusammen. *(Gehen ab.)*

DRITTE SZENE

Die hohle Gasse bei Küssnacht.

Man steigt von hinten zwischen Felsen herunter, und die Wanderer werden, ehe sie auf der Szene erscheinen, schon von der Höhe gesehen. Felsen umschließen die ganze Szene; auf einem der vordersten ist ein Vorsprung mit Gesträuch bewachsen.

TELL *(tritt auf mit der Armbrust).*
Durch diese hohle Gasse muss er kommen,
Es führt kein andrer Weg nach Küssnacht – Hier
Vollend ich's – Die Gelegenheit ist günstig.
Dort der Holunderstrauch verbirgt mich ihm,
Von dort herab kann ihn mein Pfeil erlangen,
Des Weges Enge wehret den Verfolgern.
Mach deine Rechnung mit dem Himmel, Vogt,
Fort musst du, deine Uhr ist abgelaufen.
Ich lebte still und harmlos. – Das Geschoss
War auf des Waldes Tiere nur gerichtet,
Meine Gedanken waren rein von Mord –
Du hast aus meinem Frieden mich heraus
Geschreckt, in gärend Drachengift hast du
Die Milch der frommen Denkart mir verwandelt,
Zum Ungeheuren hast du mich gewöhnt –
Wer sich des Kindes Haupt zum Ziele setzte,
Der kann auch treffen in das Herz des Feinds.

Die armen Kindlein, die unschuldigen,
Das treue Weib muss ich vor deiner Wut
Beschützen, Landvogt! – Da, als ich den Bogenstrang
Anzog – als mir die Hand erzitterte –
Als du mit grausam teufelischer Lust
Mich zwangst, aufs Haupt des Kindes anzulegen –
Als ich ohnmächtig flehend rang vor dir,
Damals gelobt' ich mir in meinem Innern
Mit furchtbar'm Eidschwur, den nur Gott gehört,
Dass meines nächsten Schusses erstes Ziel
Dein Herz sein sollte – Was ich mir gelobt
In jenes Augenblickes Höllenqualen,
Ist eine heil'ge Schuld – ich will sie zahlen.
Du bist mein Herr und meines Kaisers Vogt,
Doch nicht der Kaiser hätte sich erlaubt,
Was du – Er sandte dich in diese Lande,
Um Recht zu sprechen – strenges, denn er zürnet –
Doch nicht, um mit der mörderischen Lust
Dich jedes Gräuels straflos zu erfrechen;
Es lebt ein Gott, zu strafen und zu rächen.
Komm du hervor, du Bringer bittrer Schmerzen,
Mein teures Kleinod jetzt, mein höchster Schatz –
Ein Ziel will ich dir geben, das bis jetzt
Der frommen Bitte undurchdringlich war –
Doch dir soll es nicht widerstehn – Und du,
Vertraute Bogensehne, die so oft
Mir treu gedient hat in der Freude Spielen,
Verlass mich nicht im fürchterlichen Ernst,
Nur jetzt noch halte fest, du treuer Strang,
Der mir so oft den herben Pfeil beflügelt –
Entränn er jetzo kraftlos meinen Händen,
Ich habe keinen zweiten zu versenden.
(Wanderer gehen über die Szene.)
Auf dieser Bank von Stein will ich mich setzen,
Dem Wanderer zur kurzen Ruh bereitet –
Denn hier ist keine Heimat – Jeder treibt
Sich an dem andern rasch und fremd vorüber
Und fraget nicht nach seinem Schmerz – Hier geht
Der sorgenvolle Kaufmann und der leicht
Geschürzte Pilger – der andächt'ge Mönch,
Der düstre Räuber und der heitre Spielmann,
Der Säumer mit dem schwer beladnen Ross,
Der ferne herkommt von der Menschen Ländern,

Säumer
Fuhrknecht oder Reitknecht

Denn jede Straße führt ans End der Welt.
Sie alle ziehen ihres Weges fort
An ihr Geschäft – und meines ist der Mord!
(Setzt sich.)
Sonst, wenn der Vater auszog, liebe Kinder,
Da war ein Freuen, wenn er wiederkam;
Denn niemals kehrt' er heim, er bracht' euch etwas,
War's eine schöne Alpenblume, war's
Ein seltner Vogel oder Ammonshorn,
Wie es der Wandrer findet auf den Bergen –
Jetzt geht er einem andern Weidwerk nach,
Am wilden Weg sitzt er mit Mordgedanken;
Des Feindes Leben ist's, worauf er lauert.
– Und doch an euch nur denkt er, lieben Kinder,
Auch jetzt – Euch zu verteid'gen, eure holde Unschuld
Zu schützen vor der Rache des Tyrannen,
Will er zum Morde jetzt den Bogen spannen!
(Steht auf.)
Ich laure auf ein edles Wild – Lässt sich's
Der Jäger nicht verdrießen, tagelang
Umherzustreifen in des Winters Strenge,
Von Fels zu Fels den Wagesprung zu tun,
Hinanzuklimmen an den glatten Wänden,
Wo er sich anleimt mit dem eignen Blut,
– Um ein armselig Grattier zu erjagen.
Hier gilt es einen köstlicheren Preis,
Das Herz des Todfeinds, der mich will verderben.
(Man hört von ferne eine heitre Musik, welche sich nähert.)
Mein ganzes Leben lang hab ich den Bogen
Gehandhabt, mich geübt nach Schützenregel,
Ich habe oft geschossen in das Schwarze
Und manchen schönen Preis mir heimgebracht
Vom Freudenschießen – Aber heute will ich
Den Meisterschuss tun und das Beste mir
Im ganzen Umkreis des Gebirgs gewinnen.
(Eine Hochzeit zieht über die Szene und durch den Hohlweg hinauf. Tell betrachtet sie, auf seinen Bogen gelehnt, Stüssi der Flurschütz gesellt sich zu ihm.)
STÜSSI. Das ist der Klostermei'r von Mörlischachen,
Der hier den Brautlauf hält – Ein reicher Mann,
Er hat wohl zehen Senten auf den Alpen.
Die Braut holt er jetzt ab zu Imisee,
Und diese Nacht wird hoch geschwelgt zu Küssnacht.

Ammonshorn Hammonis Cornua: eine fossile Versteinerung

Grattier Gemse

Flurschütz bewaffneter Feldhüter

Klostermei'r Verwalter des Klostergutes

Sente die Herde Kühe, die ein Senne unter sich hat

Kommt mit! ’s ist jeder Biedermann geladen.
TELL. Ein ernster Gast stimmt nicht zum Hochzeithaus.
STÜSSI. Drückt Euch ein Kummer, werft ihn frisch vom Herzen!
Nehmt mit, was kommt, die Zeiten sind jetzt schwer.
Drum muss der Mensch die Freude leicht ergreifen.
Hier wird gefreit und anderswo begraben.
TELL. Und oft kommt gar das eine zu dem andern.
STÜSSI. So geht die Welt nun. Es gibt allerwegen
Unglücks genug – Ein Ruffi ist gegangen
Im Glarner Land, und eine ganze Seite
Vom Glärnisch eingesunken.

Ruffi Bergrutsch (vom italienischen „rovina“)

TELL. Wanken auch
Die Berge selbst? Es steht nichts fest auf Erden.
STÜSSI. Auch anderswo vernimmt man Wunderdinge.
Da sprach ich einen, der von Baden kam.

Baden an der Limmat im Aargau

Ein Ritter wollte zu dem König reiten,
Und unterwegs begegnet ihm ein Schwarm
Von Hornissen, die fallen auf sein Ross,
Dass es für Marter tot zu Boden sinkt
Und er zu Fuße ankommt bei dem König.
TELL. Dem Schwachen ist sein Stachel auch gegeben.
(Armgard kommt mit mehreren Kindern und stellt sich an den Eingang des Hohlwegs.)
STÜSSI. Man deutet’s auf ein großes Landesunglück,
Auf schwere Taten wider die Natur.
TELL. Dergleichen Taten bringet jeder Tag,
Kein Wunderzeichen braucht sie zu verkünden.
STÜSSI. Ja, wohl dem, der sein Feld bestellt in Ruh,
Und ungekränkt daheim sitzt bei den Seinen.
TELL. Es kann der Frömmste nicht im Frieden bleiben,
Wenn es dem bösen Nachbar nicht gefällt.
(Tell sieht oft mit unruhiger Erwartung nach der Höhe des Weges.)
STÜSSI. Gehabt Euch wohl – Ihr wartet hier auf jemand?
TELL. Das tu ich.
STÜSSI. Frohe Heimkehr zu den Euren!
– Ihr seid aus Uri? Unser gnäd’ger Herr,
Der Landvogt, wird noch heut von dort erwartet.
WANDERER *(kommt).*
Den Vogt erwartet heut nicht mehr. Die Wasser
Sind ausgetreten von dem großen Regen,
Und alle Brücken hat der Strom zerrissen.
(Tell steht auf.)

ARMGARD *(kommt vorwärts).*
Der Landvogt kommt nicht?
STÜSSI. Sucht Ihr was an ihn?
ARMGARD. Ach freilich!
STÜSSI. Warum stellet Ihr Euch denn
In dieser hohlen Gass ihm in den Weg?
ARMGARD. Hier weicht er mir nicht aus, er muss mich hören.
FRIESSHART *(kommt eilfertig den Hohlweg herab und ruft in die Szene).* Man fahre aus dem Weg – Mein gnäd'ger Herr,
Der Landvogt, kommt dicht hinter mir geritten.
(Tell geht ab.)
ARMGARD *(lebhaft).* Der Landvogt kommt.
(Sie geht mit ihren Kindern nach der vorderen Szene. Geßler und Rudolf der Harras zeigen sich zu Pferd auf der Höhe des Wegs.)
STÜSSI *(zum Frießhart).* Wie kamt ihr durch das Wasser,
Da doch der Strom die Brücken fortgeführt?
FRIESSHART. Wir haben mit dem See gefochten, Freund,
Und fürchten uns vor keinem Alpenwasser.
STÜSSI. Ihr wart zu Schiff in dem gewalt'gen Sturm?
FRIESSHART. Das waren wir. Mein Lebtag denk ich dran!
STÜSSI. O bleibt, erzählt!
FRIESSHART. Lasst mich, ich muss voraus.
Den Landvogt muss ich in der Burg verkünden. *(Ab.)*
STÜSSI. Wär'n gute Leute auf dem Schiff gewesen,
In Grund gesunken wär's mit Mann und Maus;
Dem Volk kann weder Wasser bei noch Feuer.
(Er sieht sich um.)
Wo kam der Weidmann hin, mit dem ich sprach? *(Geht ab.)*
Geßler und Rudolf der Harras zu Pferd.
GESSLER. Sagt, was Ihr wollt, ich bin des Kaisers Diener
Und muss drauf denken, wie ich ihm gefalle.
Er hat mich nicht ins Land geschickt, dem Volk
Zu schmeicheln und ihm sanft zu tun – Gehorsam
Erwartet er; der Streit ist, ob der Bauer
Soll Herr sein in dem Lande oder der Kaiser.
ARMGARD. Jetzt ist der Augenblick! Jetzt bring ich's an!
(Sie nähert sich furchtsam.)
GESSLER. Ich hab den Hut nicht aufgesteckt zu Altdorf
Des Scherzes wegen, oder um die Herzen
Des Volks zu prüfen; diese kenn ich längst.
Ich hab ihn aufgesteckt, dass sie den Nacken
Mir lernen beugen, den sie aufrecht tragen –

Das Unbequeme hab ich hingepflanzt
Auf ihren Weg, wo sie vorbeigehn müssen,
Dass sie drauf stoßen mit dem Aug und sich
Erinnern ihres Herrn, den sie vergessen.

RUDOLF DER HARRAS.
Das Volk hat aber doch gewisse Rechte –

GESSLER. Die abzuwägen, ist jetzt keine Zeit!
– Weitschicht'ge Dinge sind im Werk und Werden,
Das Kaiserhaus will wachsen; was der Vater
Glorreich begonnen, will der Sohn vollenden.
Dies kleine Volk ist uns ein Stein im Weg –
So oder so – Es muss sich unterwerfen.

(Sie wollen vorüber. Die Frau wirft sich vor dem Landvogt nieder.)

ARMGARD. Barmherzigkeit, Herr Landvogt! Gnade! Gnade!

GESSLER. Was dringt Ihr Euch auf offner Straße mir
In Weg? – Zurück!

ARMGARD. Mein Mann liegt im Gefängnis,
Die armen Waisen schrein nach Brot – Habt Mitleid,
Gestrenger Herr, mit unserm großen Elend.

RUDOLF DER HARRAS.
Wer seid Ihr? Wer ist Euer Mann?

ARMGARD. Ein armer
Wildheuer, guter Herr, vom Rigiberge,
Der überm Abgrund weg das freie Gras
Abmähet von den schroffen Felsenwänden,
Wohin das Vieh sich nicht getraut zu steigen –

Wildheuer
einer, der auf herrenlosem Gebiet Heu macht

RUDOLF DER HARRAS *(zum Landvogt).*
Bei Gott, ein elend und erbärmlich Leben!
Ich bitt Euch, gebt ihn los, den armen Mann,
Was er auch Schweres mag verschuldet haben,
Strafe genug ist sein entsetzlich Handwerk. *(Zu der Frau.)*
Euch soll Recht werden – Drinnen auf der Burg
Nennt Eure Bitte – hier ist nicht der Ort.

ARMGARD. Nein, nein, ich weiche nicht von diesem Platz,
Bis mir der Vogt den Mann zurückgegeben!
Schon in dem sechsten Mond liegt er im Turm
Und harret auf den Richterspruch vergebens.

GESSLER. Weib, wollt Ihr mir Gewalt antun? Hinweg!

ARMGARD. Gerechtigkeit, Landvogt! Du bist der Richter
Im Lande an des Kaisers statt und Gottes.
Tu deine Pflicht! So du Gerechtigkeit
Vom Himmel hoffest, so erzeig sie uns.

GESSLER. Fort, schafft das freche Volk mir aus den Augen.
ARMGARD *(greift in die Zügel des Pferdes).*
Nein, nein, ich habe nichts mehr zu verlieren.
– Du kommst nicht von der Stelle, Vogt, bis du
Mir Recht gesprochen – Falte deine Stirne,
Rolle die Augen, wie du willst – Wir sind
So grenzenlos unglücklich, dass wir nichts
Nach deinem Zorn mehr fragen –
GESSLER. Weib, mach Platz,
Oder mein Ross geht über dich hinweg.
ARMGARD. Lass es über mich dahingehn – da –
(Sie reißt ihre Kinder zu Boden und wirft sich mit ihnen ihm in den Weg.)
Hier lieg ich
Mit meinen Kindern – lass die armen Waisen
Von deines Pferdes Huf zertreten werden,
Es ist das Ärgste nicht, was du getan –
RUDOLF DER HARRAS.
Weib, seid Ihr rasend?
ARMGARD *(heftiger fortfahrend).* Tratest du doch längst
Das Land des Kaisers unter deine Füße!
– O ich bin nur ein Weib! Wär ich ein Mann,
Ich wüsste wohl was Besseres, als hier
Im Staub zu liegen –
(Man hört die vorige Musik wieder auf der Höhe des Wegs, aber gedämpft.)
GESSLER. Wo sind meine Knechte?
Man reiße sie von hinnen, oder ich
Vergesse mich und tue, was mich reuet.
RUDOLF DER HARRAS.
Die Knechte können nicht hindurch, o Herr,
Der Hohlweg ist gesperrt durch eine Hochzeit.
GESSLER. Ein allzu milder Herrscher bin ich noch
Gegen dieses Volk – die Zungen sind noch frei,
Es ist noch nicht ganz, wie es soll, gebändigt –
Doch soll es anders werden, ich gelob es,
Ich will ihn brechen, diesen starren Sinn,
Den kecken Geist der Freiheit will ich beugen.
Ein neu Gesetz will ich in diesen Landen
Verkündigen – Ich will –
(Ein Pfeil durchbohrt ihn, er fährt mit der Hand ans Herz und will sinken. Mit matter Stimme.)
Gott sei mir gnädig!

RUDOLF DER HARRAS.
Herr Landvogt – Gott, was ist das? Woher kam das?
ARMGARD *(auffahrend).*
Mord! Mord! Er taumelt, sinkt! Er ist getroffen!
Mitten ins Herz hat ihn der Pfeil getroffen!
RUDOLF DER HARRAS *(springt vom Pferd).*
Welch grässliches Ereignis – Gott – Herr Ritter –
Ruft die Erbarmung Gottes an – Ihr seid
Ein Mann des Todes! –
GESSLER. Das ist Tells Geschoss.
(Er ist vom Pferd herab dem Rudolf Harras in den Arm geglitten und wird auf der Bank niedergelassen.)
TELL *(erscheint oben auf der Höhe des Felsen).*
Du kennst den Schützen, suche keinen andern!
Frei sind die Hütten, sicher ist die Unschuld
Vor dir, du wirst dem Lande nicht mehr schaden.
(Verschwindet von der Höhe. Volk stürzt herein.)
STÜSSI *(voran).* Was gibt es hier? Was hat sich zugetragen?
ARMGARD. Der Landvogt ist von einem Pfeil durchschossen.
VOLK *(im Hereinstürzen).* Wer ist erschossen?
(Indem die Vordersten von dem Brautzug auf die Szene kommen, sind die Hintersten noch auf der Höhe, und die Musik geht fort.)
RUDOLF DER HARRAS. Er verblutet sich.
Fort, schaffet Hilfe! Setzt dem Mörder nach!
– Verlorner Mann, so muss es mit dir enden,
Doch meine Warnung wolltest du nicht hören!
STÜSSI. Bei Gott, da liegt er bleich und ohne Leben!
VIELE STIMMEN. Wer hat die Tat getan?
RUDOLF DER HARRAS. Rast dieses Volk,
Dass es dem Mord Musik macht? Lasst sie schweigen.
(Musik bricht plötzlich ab, es kommt noch mehr Volk nach.)
Herr Landvogt, redet, wenn Ihr könnt – Habt Ihr
Mir nichts mehr zu vertraun?
(Geßler gibt Zeichen mit der Hand, die er mit Heftigkeit wiederholt, da sie nicht gleich verstanden werden.)
Wo soll ich hin?
– Nach Küssnacht? – Ich versteh Euch nicht – O werdet
Nicht ungeduldig – Lasst das Irdische,
Denkt jetzt, Euch mit dem Himmel zu versöhnen.
(Die ganze Hochzeitsgesellschaft umsteht den Sterbenden mit einem fühllosen Grausen.)
STÜSSI. Sieh, wie er bleich wird – Jetzt, jetzt tritt der Tod
Ihm an das Herz – die Augen sind gebrochen.

ARMGARD *(hebt ein Kind empor).*
Seht, Kinder, wie ein Wüterich verscheidet!
RUDOLF DER HARRAS.
Wahnsinn'ge Weiber, habt ihr kein Gefühl,
Dass ihr den Blick an diesem Schrecknis weidet?
– Helft – Leget Hand an – Steht mir niemand bei,
Den Schmerzenspfeil ihm aus der Brust zu ziehn?
WEIBER *(treten zurück).*
Wir ihn berühren, welchen Gott geschlagen!
RUDOLF DER HARRAS.
Fluch treff euch und Verdammnis!
(Zieht das Schwert.)
STÜSSI *(fällt ihm in den Arm).* Wagt es, Herr!
Eu'r Walten hat ein Ende. Der Tyrann
Des Landes ist gefallen. Wir erdulden
Keine Gewalt mehr. Wir sind freie Menschen.
ALLE *(tumultuarisch).* Das Land ist frei!
RUDOLF DER HARRAS. Ist es dahin gekommen?
Endet die Furcht so schnell und der Gehorsam?
(Zu den Waffenknechten, die hereindringen.)
Ihr seht die grauenvolle Tat des Mords,
Die hier geschehen – Hilfe ist umsonst –
Vergeblich ist's, dem Mörder nachzusetzen.
Uns drängen andre Sorgen – Auf, nach Küssnacht,
Dass wir dem Kaiser seine Feste retten!
Denn aufgelöst in diesem Augenblick
Sind aller Ordnung, aller Pflichten Bande,
Und keines Mannes Treu ist zu vertrauen.
(Indem er mit den Waffenknechten abgeht, erscheinen sechs Barmherzige Brüder.)
ARMGARD.
Platz! Platz! da kommen die Barmherz'gen Brüder.
STÜSSI. Das Opfer liegt – die Raben steigen nieder.
BARMHERZIGE BRÜDER *(schließen einen Halbkreis um den Toten und singen in tiefem Ton).*
Rasch tritt der Tod den Menschen an,
Es ist ihm keine Frist gegeben;
Es stürzt ihn mitten in der Bahn,
Es reißt ihn fort vom vollen Leben.
Bereitet oder nicht, zu gehen,
Er muss vor seinen Richter stehen!
(Indem die letzten Zeilen wiederholt werden, fällt der Vorhang.)

FÜNFTER AUFZUG

ERSTE SZENE

Öffentlicher Platz bei Altdorf.

Im Hintergrunde rechts die Feste Zwing Uri mit dem noch stehenden Baugerüst, wie in der dritten Szene des ersten Aufzugs; links eine Aussicht in viele Berge hinein, auf welchen allen Signalfeuer brennen. Es ist eben Tagesanbruch, Glocken ertönen aus verschiedenen Fernen.

Ruodi, Kuoni, Werni, Meister Steinmetz und viele andere Landleute, auch Weiber und Kinder.

RUODI. Seht ihr die Feuersignale auf den Bergen?
STEINMETZ. Hört ihr die Glocken drüben überm Wald?
RUODI. Die Feinde sind verjagt.
STEINMETZ. Die Burgen sind erobert.
RUODI. Und wir im Lande Uri dulden noch
Auf unserm Boden das Tyrannenschloss?
Sind wir die Letzten, die sich frei erklären?
STEINMETZ. Das Joch soll stehen, das uns zwingen wollte?
Auf, reißt es nieder!
ALLE. Nieder! Nieder! Nieder!
RUODI. Wo ist der Stier von Uri?
STIER VON URI. Hier. Was soll ich?
RUODI. Steigt auf die Hochwacht, blast in Euer Horn,
Dass es weit schmetternd in die Berge schalle
Und, jedes Echo in den Felsenklüften
Aufweckend, schnell die Männer des Gebirgs
Zusammenrufe.
Stier von Uri geht ab. Walter Fürst kommt.
WALTER FÜRST. Haltet, Freunde! Haltet!
Noch fehlt uns Kunde, was in Unterwalden
Und Schwyz geschehen. Lasst uns Boten erst
Erwarten.
RUODI. Was erwarten? Der Tyrann
Ist tot, der Tag der Freiheit ist erschienen.
STEINMETZ. Ist's nicht genug an diesen flammenden Boten,
Die ringsherum auf allen Bergen leuchten?
RUODI.
Kommt alle, kommt, legt Hand an, Männer und Weiber!

Brecht das Gerüste! Sprengt die Bogen! Reißt
Die Mauern ein! Kein Stein bleib auf dem andern.
STEINMETZ. Gesellen, kommt! Wir haben's aufgebaut,
Wir wissen's zu zerstören.
ALLE. Kommt! Reißt nieder.
(Sie stürzen sich von allen Seiten auf den Bau.)
WALTER FÜRST. Es ist im Lauf. Ich kann sie nicht mehr halten.
Melchtal und Baumgarten kommen.
MELCHTAL. Was? Steht die Burg noch, und Schloss Sarnen liegt
In Asche, und der Rossberg ist gebrochen?
WALTER FÜRST.
Seid Ihr es, Melchtal? Bringt Ihr uns die Freiheit?
Sagt! Sind die Lande alle rein vom Feind?
MELCHTAL *(umarmt ihn).*
Rein ist der Boden. Freut Euch, alter Vater!
In diesem Augenblicke, da wir reden,
Ist kein Tyrann mehr in der Schweizer Land.
WALTER FÜRST.
O sprecht, wie wurdet Ihr der Burgen mächtig?
MELCHTAL. Der Rudenz war es, der das Sarner Schloss
Mit männlich kühner Wagetat gewann,
Den Rossberg hatt' ich nachts zuvor erstiegen.
– Doch höret, was geschah. Als wir das Schloss
Vom Feind geleert, nun freudig angezündet,
Die Flamme prasselnd schon zum Himmel schlug,
Da stürzt der Diethelm, Geßlers Bub, hervor
Und ruft, dass die Bruneckerin verbrenne.
WALTER FÜRST. Gerechter Gott!
(Man hört die Balken des Gerüstes stürzen.)
MELCHTAL Sie war es selbst, war heimlich
Hier eingeschlossen auf des Vogts Geheiß.
Rasend erhob sich Rudenz – denn wir hörten
Die Balken schon, die festen Pfosten stürzen
Und aus dem Rauch hervor den Jammerruf
Der Unglückseligen.
WALTER FÜRST. Sie ist gerettet?
MELCHTAL. Da galt Geschwindsein und Entschlossenheit!
– Wär er nur unser Edelmann gewesen,
Wir hätten unser Leben wohl geliebt,
Doch er war unser Eidgenoss, und Berta
Ehrte das Volk – So setzten wir getrost
Das Leben dran und stürzten in das Feuer.
WALTER FÜRST. Sie ist gerettet?

MELCHTAL. Sie ist's. Rudenz und ich,
Wir trugen sie selbander aus den Flammen,
Und hinter uns fiel krachend das Gebälk.
Und jetzt, als sie gerettet sich erkannte,
Die Augen aufschlug zu dem Himmelslicht,
Jetzt stürzte mir der Freiherr an das Herz,
Und schweigend ward ein Bündnis jetzt beschworen,
Das, fest gehärtet in des Feuers Glut,
Bestehen wird in allen Schicksalsproben –
WALTER FÜRST. Wo ist der Landenberg?
MELCHTAL. Über den Brünig. →
Nicht lag's an mir, dass er das Licht der Augen
Davontrug, der den Vater mir geblendet.
Nach jagt' ich ihm, erreicht' ihn auf der Flucht
Und riss ihn zu den Füßen meines Vaters.
Geschwungen über ihm war schon das Schwert –
Von der Barmherzigkeit des blinden Greises
Erhielt er flehend das Geschenk des Lebens.
Urfehde schwur er, nie zurückzukehren;
Er wird sie halten; unsern Arm hat er
Gefühlt.
WALTER FÜRST.
Wohl Euch, dass ihr den reinen Sieg
Mit Blute nicht geschändet!
KINDER *(eilen mit Trümmern des Gerüstes über die Szene).*
Freiheit! Freiheit!
(Das Horn von Uri wird mit Macht geblasen.)
WALTER FÜRST. Seht, welch ein Fest! Des Tages werden sich
Die Kinder spät als Greise noch erinnern.
(Mädchen bringen den Hut auf einer Stange getragen, die ganze Szene füllt sich mit Volk an.)
RUODI. Hier ist der Hut, dem wir uns beugen mussten.
BAUMGARTEN. Gebt uns Bescheid, was damit werden soll.
WALTER FÜRST. Gott! Unter diesem Hute stand mein Enkel!
MEHRERE STIMMEN.
Zerstört das Denkmal der Tyrannenmacht!
Ins Feuer mit ihm!
WALTER FÜRST. Nein, lasst ihn aufbewahren!
Der Tyrannei musst' er zum Werkzeug dienen,
Er soll der Freiheit ewig Zeichen sein!
(Die Landleute, Männer, Weiber und Kinder stehen und sitzen auf den Balken des zerbrochenen Gerüstes malerisch gruppiert in einem großen Halbkreis umher.)

MELCHTAL. So stehen wir nun fröhlich auf den Trümmern
Der Tyrannei, und herrlich ist's erfüllt,
Was wir im Rütli schwuren, Eidgenossen.
WALTER FÜRST. Das Werk ist angefangen, nicht vollendet.
Jetzt ist uns Mut und feste Eintracht Not;
Denn seid gewiss, nicht säumen wird der König,
Den Tod zu rächen seines Vogts und den
Vertriebnen mit Gewalt zurückzuführen.
MELCHTAL. Er zieh heran mit seiner Heeresmacht;
Ist aus dem Innern doch der Feind verjagt,
Dem Feind von außen wollen wir begegnen.
RUODI. Nur wen'ge Pässe öffnen ihm das Land,
Die wollen wir mit unsern Leibern decken.
BAUMGARTEN. Wir sind vereinigt durch ein ewig Band,
Und seine Heere sollen uns nicht schrecken!
Rösselmann und Stauffacher kommen.
RÖSSELMANN *(im Eintreten).*
Das sind des Himmels furchtbare Gerichte.
LANDLEUTE. Was gibt's?
RÖSSELMANN. In welchen Zeiten leben wir!
WALTER FÜRST.
Sagt an, was ist es? – Ha, seid Ihr's, Herr Werner?
Was bringt Ihr uns?
LANDLEUTE. Was gibt's?
RÖSSELMANN. Hört und erstaunet!
STAUFFACHER. Von einer großen Furcht sind wir befreit –
RÖSSELMANN. Der Kaiser ist ermordet.
WALTER FÜRST. Gnäd'ger Gott!
(Landleute machen einen Aufstand und umdrängen den Stauffacher.)
ALLE. Ermordet! Was! Der Kaiser! Hört! Der Kaiser!
MELCHTAL. Nicht möglich! Woher kam Euch diese Kunde?
STAUFFACHER. Es ist gewiss. Bei Bruck fiel König Albrecht
Durch Mörders Hand – ein glaubenwerter Mann,
← Johannes Müller, bracht' es von Schaffhausen.
WALTER FÜRST. Wer wagte solche grauenvolle Tat?
STAUFFACHER. Sie wird noch grauenvoller durch den Täter.
Es war sein Neffe, seines Bruders Kind,
Herzog Johann von Schwaben, der's vollbrachte.
MELCHTAL. Was trieb ihn zu der Tat des Vatermords?
STAUFFACHER. Der Kaiser hielt das väterliche Erbe
Dem ungeduldig Mahnenden zurück;
Es hieß, er denk ihn ganz darum zu kürzen,

Mit einem Bischofshut ihn abzufinden.
Wie dem auch sei – der Jüngling öffnete
Der Waffenfreunde bösem Rat sein Ohr,
Und mit den edeln Herrn von Eschenbach,
Von Tegerfelden, von der Wart und Palm
Beschloss er, da er Recht nicht konnte finden,
Sich Rach zu holen mit der eignen Hand.
WALTER FÜRST. O sprecht, wie ward das Grässliche vollendet?
STAUFFACHER. Der König ritt herab vom Stein zu Baden,
Gen Rheinfeld, wo die Hofstatt war, zu ziehn,
Mit ihm die Fürsten, Hans und Leopold,
Und ein Gefolge hochgeborner Herren.
Und als sie kamen an die Reuß, wo man
Auf einer Fähre sich lässt übersetzen,
Da drängten sich die Mörder in das Schiff,
Dass sie den Kaiser vom Gefolge trennten.
Drauf, als der Fürst durch ein geackert Feld
Hinreitet – eine alte große Stadt
Soll drunter liegen aus der Heiden Zeit –
Die alte Feste Habsburg im Gesicht,
Wo seines Stammes Hoheit ausgegangen –
Stößt Herzog Hans den Dolch ihm in die Kehle,
Rudolf von Palm durchrennt ihn mit dem Speer,
Und Eschenbach zerspaltet ihm das Haupt,
Dass er heruntersinkt in seinem Blut,
Gemordet von den Seinen, auf dem Seinen.
Am andern Ufer sahen sie die Tat,
Doch, durch den Strom geschieden, konnten sie
Nur ein ohnmächtig Wehgeschrei erheben;
Am Wege aber saß ein armes Weib –
In ihrem Schoß verblutete der Kaiser.
MELCHTAL. So hat er nur sein frühes Grab gegraben,
Der unersättlich alles wollte haben!
STAUFFACHER. Ein ungeheurer Schrecken ist im Land umher,
Gesperrt sind alle Pässe des Gebirgs,
Jedweder Stand verwahret seine Grenzen;
Die alte Zürich selbst schloss ihre Tore,
Die dreißig Jahr lang offen standen, zu,
Die Mörder fürchtend und noch mehr – die Rächer.
Denn mit des Bannes Fluch bewaffnet kommt
Der Ungarn Königin, die strenge Agnes,
Die nicht die Milde kennet ihres zarten
Geschlechts, des Vaters königliches Blut

Stein Burg bei Baden im Aargau

→

Zeugungen Geschlechter

Zu rächen an der Mörder ganzem Stamm,
An ihren Knechten, Kindern, Kindeskindern,
Ja an den Steinen ihrer Schlösser selbst.
Geschworen hat sie, ganze Zeugungen
Hinabzusenden in des Vaters Grab,
In Blut sich wie in Maientau zu baden.
MELCHTAL. Weiß man, wo sich die Mörder hingeflüchtet?
STAUFFACHER. Sie flohen alsbald nach vollbrachter Tat
Auf fünf verschiednen Straßen auseinander
Und trennten sich, um nie sich mehr zu sehn –
Herzog Johann soll irren im Gebirge.
WALTER FÜRST. So trägt die Untat ihnen keine Frucht!
Rache trägt keine Frucht! Sich selbst ist sie
Die fürchterliche Nahrung, ihr Genuss
Ist Mord, und ihre Sättigung das Grausen.
STAUFFACHER. Den Mördern bringt die Untat nicht Gewinn;
Wir aber brechen mit der reinen Hand
Des blut'gen Frevels segenvolle Frucht.
Denn einer großen Furcht sind wir entledigt,
Gefallen ist der Freiheit größter Feind,
Und wie verlautet, wird das Zepter gehn
Aus Habsburgs Haus zu einem andern Stamm,
Das Reich will seine Wahlfreiheit behaupten.
WALTER FÜRST und MEHRERE.
Vernahmt Ihr was?
STAUFFACHER. Der Graf von Luxemburg
Ist von den mehrsten Stimmen schon bezeichnet.
WALTER FÜRST. Wohl uns, dass wir beim Reiche treu gehalten,
Jetzt ist zu hoffen auf Gerechtigkeit!
STAUFFACHER. Dem neuen Herrn tun tapfre Freunde Not,
Er wird uns schirmen gegen Östreichs Rache.
(Die Landleute umarmen einander.)
Sigrist mit einem Reichsboten
SIGRIST. Hier sind des Landes würd'ge Oberhäupter.
RÖSSELMANN und MEHRERE.
Sigrist, was gibt's?
SIGRIST. Ein Reichsbot bringt dies Schreiben.
ALLE *(zu Walter Fürst).* Erbrecht und leset.
WALTER FÜRST *(liest).* „Den bescheidnen Männern
Von Uri, Schwyz und Unterwalden bietet
Die Königin Elsbeth Gnad und alles Gutes."
VIELE STIMMEN.
Was will die Königin? Ihr Reich ist aus.

Graf von Luxemburg er wird 1308 Kaiser als Heinrich VII.

WALTER FÜRST *(liest).*
„In ihrem großen Schmerz und Witwenleid,
Worin der blut'ge Hinscheid ihres Herrn
Die Königin versetzt, gedenkt sie noch
Der alten Treu und Lieb der Schwyzerlande."
MELCHTAL. In ihrem Glück hat sie das nie getan.
RÖSSELMANN. Still! Lasset hören!
WALTER FÜRST *(liest).*
„Und sie versieht sich zu dem treuen Volk,
Dass es gerechten Abscheu werde tragen
Vor den verfluchten Tätern dieser Tat.
Darum erwartet sie von den drei Landen,
Dass sie den Mördern nimmer Vorschub tun,
Vielmehr getreulich dazu helfen werden,
Sie auszuliefern in des Rächers Hand,
Der Lieb gedenkend und der alten Gunst,
Die sie von Rudolfs Fürstenhaus empfangen."
(Zeichen des Unwillens unter den Landleuten.)
VIELE STIMMEN. Der Lieb und Gunst!
STAUFFACHER. Wir haben Gunst empfangen von dem Vater,
Doch wessen rühmen wir uns von dem Sohn?
Hat er den Brief der Freiheit uns bestätigt,
Wie vor ihm alle Kaiser doch getan?
Hat er gerichtet nach gerechtem Spruch
Und der bedrängten Unschuld Schutz verliehn?
Hat er auch nur die Boten wollen hören,
Die wir in unsrer Angst zu ihm gesendet?
Nicht eins von diesem allen hat der König
An uns getan, und hätten wir nicht selbst
Uns Recht verschafft mit eigner mut'ger Hand,
Ihn rührte unsre Not nicht an – Ihm Dank?
Nicht Dank hat er gesät in diesen Tälern.
Er stand auf einem hohen Platz, er konnte
Ein Vater seiner Völker sein, doch ihm
Gefiel es, nur zu sorgen für die Seinen:
Die er gemehrt hat, mögen um ihn weinen!
WALTER FÜRST. Wir wollen nicht frohlocken seines Falls,
Nicht des empfangnen Bösen jetzt gedenken.
Fern sei's von uns! Doch, dass wir rächen sollten
Des Königs Tod, der nie uns Gutes tat,
Und die verfolgen, die uns nie betrübten,
Das ziemt uns nicht und will uns nicht gebühren.
Die Liebe will ein freies Opfer sein;

Der Tod entbindet von erzwungnen Pflichten,
– Ihm haben wir nichts weiter zu entrichten.
MELCHTAL. Und weint die Königin in ihrer Kammer,
Und klagt ihr wilder Schmerz den Himmel an,
So seht ihr hier ein angstbefreites Volk
Zu eben diesem Himmel dankend flehen –
Wer Tränen ernten will, muss Liebe säen.
(Reichsbote geht ab.)
STAUFFACHER *(zu dem Volk).*
Wo ist der Tell? Soll er allein uns fehlen,
Der unsrer Freiheit Stifter ist? Das Größte
Hat er getan, das Härteste erduldet,
Kommt alle, kommt, nach seinem Haus zu wallen,
Und rufet Heil dem Retter von uns allen.
(Alle gehen ab.)

ZWEITE SZENE

Tells Hausflur.

Ein Feuer brennt auf dem Herd. Die offen stehende Tür zeigt ins Freie.

Hedwig. Walter und Wilhelm.

HEDWIG. Heut kommt der Vater. Kinder, liebe Kinder!
Er lebt, ist frei, und wir sind frei und alles!
Und euer Vater ist's, der's Land gerettet.
WALTER. Und ich bin auch dabei gewesen, Mutter!
Mich muss man auch mit nennen. Vaters Pfeil
Ging mir am Leben hart vorbei, und ich
Hab nicht gezittert.
HEDWIG *(umarmt ihn).* Ja, du bist mir wieder
Gegeben! Zweimal hab ich dich geboren!
Zweimal litt ich den Mutterschmerz um dich!
Es ist vorbei – ich hab euch beide, beide!
Und heute kommt der liebe Vater wieder!
Ein Mönch erscheint an der Haustür.
WILHELM. Sieh, Mutter, sieh! Dort steht ein frommer Bruder,
Gewiss wird er um eine Gabe flehn.
HEDWIG. Führ ihn herein, damit wir ihn erquicken;
Er fühl's, dass er ins Freudenhaus gekommen.

(Geht hinein und kommt bald mit einem Becher wieder.)
WILHELM *(zum Mönch).*
Kommt, guter Mann. Die Mutter will Euch laben.
WALTER.
Kommt, ruht Euch aus und geht gestärkt von dannen.
MÖNCH *(scheu umherblickend mit zerstörten Zügen).*
Wo bin ich? Saget an, in welchem Lande?
WALTER. Seid Ihr verirret, dass Ihr das nicht wisst?
Ihr seid zu Bürglen, Herr, im Lande Uri,
Wo man hineingeht in das Schächental.
MÖNCH *(zur Hedwig, welche zurückkommt).*
Seid Ihr allein? Ist Euer Herr zu Hause?
HEDWIG. Ich erwart ihn eben – doch was ist Euch, Mann?
Ihr seht nicht aus, als ob Ihr Gutes brächtet.
– Wer Ihr auch seid, Ihr seid bedürftig, nehmt!
(Reicht ihm den Becher.)
MÖNCH.
Wie auch mein lechzend Herz nach Labung schmachtet,
Nichts rühr ich an, bis Ihr mir zugesagt –
HEDWIG. Berührt mein Kleid nicht, tretet mir nicht nah,
Bleibt ferne stehn, wenn ich Euch hören soll.
MÖNCH. Bei diesem Feuer, das hier gastlich lodert,
Bei Eurer Kinder teurem Haupt, das ich
Umfasse – *(Ergreift die Knaben.)*
HEDWIG. Mann, was sinnet Ihr? Zurück
Von meinen Kindern! – Ihr seid kein Mönch! Ihr seid
Es nicht! Der Friede wohnt in diesem Kleide,
In Euren Zügen wohnt der Friede nicht.
MÖNCH. Ich bin der unglückseligste der Menschen.
HEDWIG. Das Unglück spricht gewaltig zu dem Herzen,
Doch Euer Blick schnürt mir das Innre zu.
WALTER *(aufspringend).*
Mutter, der Vater! *(Eilt hinaus.)*
HEDWIG. O mein Gott!
(Will nach, zittert und hält sich an.)
WILHELM *(eilt nach).* Der Vater!
WALTER *(draußen).* Da bist du wieder!
WILHELM *(draußen).* Vater, lieber Vater!
TELL *(draußen).*
Da bin ich wieder. – Wo ist eure Mutter?
(Treten herein.)
WALTER. Da steht sie an der Tür und kann nicht weiter,
So zittert sie vor Schrecken und vor Freude.

TELL. O Hedwig, Hedwig! Mutter meiner Kinder!
Gott hat geholfen – Uns trennt kein Tyrann mehr.
HEDWIG *(an seinem Halse).*
O Tell! Tell! Welche Angst litt ich um dich!
(Mönch wird aufmerksam.)
TELL. Vergiss sie jetzt und lebe nur der Freude!
Da bin ich wieder! Das ist meine Hütte!
Ich stehe wieder auf dem Meinigen!
WILHELM. Wo aber hast du deine Armbrust, Vater?
Ich seh sie nicht.
TELL. Du wirst sie nie mehr sehn.
An heil'ger Stätte ist sie aufbewahrt,
Sie wird hinfort zu keiner Jagd mehr dienen.
HEDWIG. O Tell! Tell!
(Tritt zurück, lässt seine Hand los.)
TELL. Was erschreckt dich, liebes Weib?
HEDWIG. Wie – wie kommst du mir wieder? – Diese Hand
Darf ich sie fassen? – Diese Hand – O Gott!
TELL *(herzlich und mutig).*
Hat euch verteidigt und das Land gerettet,
Ich darf sie frei hinauf zum Himmel heben.
(Mönch macht eine rasche Bewegung, er erblickt ihn.)
Wer ist der Bruder hier?
HEDWIG. Ach, ich vergaß ihn!
Sprich du mit ihm, mir graut in seiner Nähe.
MÖNCH *(tritt näher).*
Seid Ihr der Tell, durch den der Landvogt fiel?
TELL. Der bin ich, ich verberg es keinem Menschen.
MÖNCH. Ihr seid der Tell! Ach, es ist Gottes Hand,
Die unter Euer Dach mich hat geführt.
TELL *(misst ihn mit den Augen).*
Ihr seid kein Mönch! Wer seid Ihr?
MÖNCH. Ihr erschlugt
Den Landvogt, der Euch Böses tat – Auch ich
Hab einen Feind erschlagen, der mir Recht
Versagte – Er war Euer Feind wie meiner –
Ich hab das Land von ihm befreit.
TELL *(zurückfahrend).* Ihr seid –
Entsetzen! – Kinder! Kinder, geht hinein.
Geh, liebes Weib! Geh! Geh! – Unglücklicher,
Ihr wäret – –
HEDWIG. Gott, wer ist es?
TELL. Frage nicht!

Fort! Fort! Die Kinder dürfen es nicht hören.
Geh aus dem Hause – Weit hinweg – Du darfst
Nicht unter einem Dach mit diesem wohnen.
HEDWIG. Weh mir, was ist das? Kommt!
(Geht mit den Kindern.)
TELL *(zum Mönch).* Ihr seid der Herzog
Von Österreich – Ihr seid's! Ihr habt den Kaiser
Erschlagen, Euern Ohm und Herrn.
JOHANNES PARRICIDA. Er war
Der Räuber meines Erbes.
TELL. Euern Ohm
Erschlagen, Euern Kaiser! Und Euch trägt
Die Erde noch! Euch leuchtet noch die Sonne!
PARRICIDA. Tell, hört mich, eh Ihr –
TELL. Von dem Blute triefend
Des Vatermordes und des Kaisermords,
Wagst du zu treten in mein reines Haus,
Du wagst's, dein Antlitz einem guten Menschen
Zu zeigen und das Gastrecht zu begehren?
PARRICIDA. Bei Euch hofft' ich Barmherzigkeit zu finden,
Auch Ihr nahmt Rach an Euerm Feind.
TELL. Unglücklicher!
Darfst du der Ehrsucht blut'ge Schuld vermengen
Mit der gerechten Notwehr eines Vaters?
Hast du der Kinder liebes Haupt verteidigt?
Des Herdes Heiligtum beschützt? das Schrecklichste,
Das Letzte von den Deinen abgewehrt?
– Zum Himmel heb ich meine reinen Hände,
Verfluche dich und deine Tat – Gerächt
Hab ich die heilige Natur, die du
Geschändet – Nichts teil ich mit dir – Gemordet
Hast du, ich hab mein Teuerstes verteidigt.
PARRICIDA.
Ihr stoßt mich von Euch, trostlos, in Verzweiflung?
TELL. Mich fasst ein Grausen, da ich mit dir rede.
Fort! Wandle deine fürchterliche Straße,
Lass rein die Hütte, wo die Unschuld wohnt.
PARRICIDA *(wendet sich zu gehn).*
So kann ich und so will ich nicht mehr leben!
TELL. Und doch erbarmt mich deiner – Gott des Himmels!
So jung, von solchem adeligen Stamm.
Der Enkel Rudolfs, meines Herrn und Kaisers,
Als Mörder flüchtig, hier an meiner Schwelle,

Des armen Mannes, flehend und verzweifelnd –
(Verhüllt sich das Gesicht.)
PARRICIDA. O wenn Ihr weinen könnt, lasst mein Geschick
Euch jammern; es ist fürchterlich – Ich bin
Ein Fürst – ich war's – ich konnte glücklich werden,
Wenn ich der Wünsche Ungeduld bezwang.
Der Neid zernagte mir das Herz – Ich sah
Die Jugend meines Vetters Leopold
Gekrönt mit Ehre und mit Land belohnt,
Und mich, der gleiches Alters mit ihm war,
In sklavischer Unmündigkeit gehalten –
TELL. Unglücklicher, wohl kannte dich dein Ohm,
Da er dir Land und Leute weigerte!
Du selbst mit rascher, wilder Wahnsinnstat
Rechtfertigst furchtbar seinen weisen Schluss.
– Wo sind die blut'gen Helfer deines Mords?
PARRICIDA. Wohin die Rachegeister sie geführt;
Ich sah sie seit der Unglückstat nicht wieder.
TELL. Weißt du, dass dich die Acht verfolgt, dass du
← Dem Freund verboten und dem Feind erlaubt?
PARRICIDA. Darum vermeid ich alle offne Straßen,
An keine Hütte wag ich anzupochen,
Der Wüste kehr ich meine Schritte zu,
Mein eignes Schrecknis, irr ich durch die Berge
Und fahre schaudernd vor mir selbst zurück,
Zeigt mir ein Bach mein unglückselig Bild.
O wenn Ihr Mitleid fühlt und Menschlichkeit –
(Fällt vor ihm nieder.)
TELL *(abgewendet)*. Steht auf! Steht auf!
PARRICIDA. Nicht, bis Ihr mir die Hand gereicht zur Hilfe.
TELL. Kann ich Euch helfen? Kann's ein Mensch der Sünde?
Doch stehet auf – Was Ihr auch Grässliches
Verübt – Ihr seid ein Mensch – Ich bin es auch –
Vom Tell soll keiner ungetröstet scheiden –
Was ich vermag, das will ich tun.
PARRICIDA *(aufspringend und seine Hand mit Heftigkeit ergreifend)*. O Tell!
Ihr rettet meine Seele von Verzweiflung.
TELL. Lasst meine Hand los – Ihr müsst fort. Hier könnt
Ihr unentdeckt nicht bleiben, könnt entdeckt
Auf Schutz nicht rechnen – Wo gedenkt Ihr hin?
Wo hofft Ihr Ruh zu finden?
PARRICIDA. Weiß ich's? Ach!

TELL. Hört, was mir Gott ins Herz gibt – Ihr müsst fort
Ins Land Italien, nach Sankt Peters Stadt;
Dort werft Ihr Euch dem Papst zu Füßen, beichtet
Ihm Eure Schuld und löset Eure Seele.
PARRICIDA. Wird er mich nicht dem Rächer überliefern?
TELL. Was er Euch tut, das nehmet an von Gott.
PARRICIDA. Wie komm ich in das unbekannte Land?
Ich bin des Wegs nicht kundig, wage nicht
Zu Wanderern die Schritte zu gesellen.
TELL. Den Weg will ich Euch nennen, merket wohl!
Ihr steigt hinauf, dem Strom der Reuß entgegen,
Die wildes Laufes von dem Berge stürzt –
PARRICIDA *(erschrickt)*.
Seh ich die Reuß? Sie floss bei meiner Tat.
TELL. Am Abgrund geht der Weg, und viele Kreuze
Bezeichnen ihn, errichtet zum Gedächtnis
Der Wanderer, die die Lawin begraben.
PARRICIDA. Ich fürchte nicht die Schrecken der Natur,
Wenn ich des Herzens wilde Qualen zähme.
TELL. Vor jedem Kreuze fallet hin und büßet
Mit heißen Reuetränen Eure Schuld –
Und seid Ihr glücklich durch die Schreckensstraße,
Sendet der Berg nicht seine Windeswehen
Auf Euch herab von dem beeisten Joch,
So kommt Ihr auf die Brücke, welche stäubet.
Wenn sie nicht einbricht unter Eurer Schuld,
Wenn Ihr sie glücklich hinter Euch gelassen,
So reißt ein schwarzes Felsentor sich auf –
Kein Tag hat's noch erhellt – da geht Ihr durch,
Es führt Euch in ein heitres Tal der Freude –
Doch schnellen Schritts müsst Ihr vorübereilen,
Ihr dürft nicht weilen, wo die Ruhe wohnt.
PARRICIDA. O Rudolf! Rudolf! Königlicher Ahn!
So zieht dein Enkel ein auf deines Reiches Boden!
TELL. So immer steigend, kommt Ihr auf die Höhen
Des Gotthardts, wo die ew'gen Seen sind,
Die von des Himmels Strömen selbst sich füllen.
Dort nehmt Ihr Abschied von der deutschen Erde,
Und muntern Laufs führt Euch ein andrer Strom
Ins Land Italien hinab, Euch das gelobte –
(Man hört den Kuhreihen von vielen Alphörnern geblasen.)
Ich höre Stimmen. Fort!
HEDWIG *(eilt herein)*. Wo bist du, Tell?

Sankt Peters Stadt Rom

→

Brücke, welche stäubet vom zerstäubenden Wasser
→

Tal der Freude das Tal von Andermatt

Der Vater kommt! Es nahn im frohen Zug
Die Eidgenossen alle –
PARRICIDA *(verhüllt sich).* Wehe mir!
Ich darf nicht weilen bei den Glücklichen.
TELL. Geh, liebes Weib. Erfrische diesen Mann,
Belad ihn reich mit Gaben, denn sein Weg
Ist weit, und keine Herberg findet er.
Eile. Sie nahn.
HEDWIG. Wer ist es?
TELL. Forsche nicht!
Und wenn er geht, so wende deine Augen,
Dass sie nicht sehen, welchen Weg er wandelt!

Parricida geht auf den Tell zu mit einer raschen Bewegung, dieser aber bedeutet ihn mit der Hand und geht. Wenn beide zu verschiedenen Seiten abgegangen, verändert sich der Schauplatz, und man sieht in der

LETZTEN SZENE

den ganzen Talgrund vor Tells Wohnung, nebst den Anhöhen, welche ihn einschließen, mit Landleuten besetzt, welche sich zu einem Ganzen gruppieren. Andre kommen über einen hohen Steg, der über den Schächen führt, gezogen. Walter Fürst mit den beiden Knaben, Melchtal und Stauffacher kommen vorwärts, andre drängen nach; wie Tell heraustritt, empfangen ihn alle mit lautem Frohlocken.

ALLE. Es lebe Tell! Der Schütz und der Erretter!

Indem sich die Vordersten um den Tell drängen und ihn umarmen, erscheinen noch Rudenz und Berta, jener die Landleute, diese die Hedwig umarmend. Die Musik vom Berge begleitet diese stumme Szene. Wenn sie geendigt, tritt Berta in die Mitte des Volks.

BERTA. Landleute! Eidgenossen! Nehmt mich auf
In euern Bund, die erste Glückliche,
Die Schutz gefunden in der Freiheit Land.
In eure tapf're Hand leg ich mein Recht –
Wollt ihr als eure Bürgerin mich schützen?
LANDLEUTE. Das wollen wir mit Gut und Blut.
BERTA. Wohlan!
So reich ich diesem Jüngling meine Rechte,
Die freie Schweizerin dem freien Mann!
RUDENZ. Und frei erklär ich alle meine Knechte.

(Indem die Musik von Neuem rasch einfällt, fällt der Vorhang.)

BIOGRAFIE

Friedrich von Schiller
1759–1805

Jahr	Ort	Ereignis	Alter
1759	Marbach am Neckar	Am 10. November wird Johann Christoph Friedrich Schiller geboren. Seine Eltern sind der Leutnant Caspar Schiller (1723–1796) und seine Frau Elisabeth Dorothea, geborene Kodweiß (1732–1802).	
1764	Lorch	Übersiedlung der Familie nach Lorch; Besuch der Lorcher Dorfschule; Lateinunterricht bei Pfarrer Moser.	5
1766	Ludwigsburg	Rückversetzung des Vaters in die Garnison nach Ludwigsburg.	7
1767	Ludwigsburg	Schiller besucht die dortige Lateinschule mit dem Ziel, Geistlicher zu werden.	8
1773	Solitude bei Stuttgart	Auf dreifache Aufforderung des Herzogs Karl Eugen von Württemberg tritt Schiller in die „Militärpflanzschule" auf der Solitude ein. Die Schule wird im gleichen Jahr zur Herzoglichen Militärakademie erhoben.	14
1774	Solitude	Beginn des Jurastudiums.	15
1775	Stuttgart	Verlegung der Militärakademie als „Hohe Karlsschule" nach Stuttgart; Wechsel vom ungeliebten Jurastudium zum Medizinstudium; Lektüre von Schubarts Erzählung *Zur Geschichte des menschlichen Herzens*, hierdurch möglicherweise erste Anregung zu den *Räubern*.	16

Jahr	Ort	Ereignis	Alter
1776	Stuttgart	Beginn des Philosophiestudiums bei Professor Abel; durch ihn erste Berührung mit dem Werk Shakespeares. Veröffentlichung des Gedichts *Der Abend* im *Schwäbischen Magazin*. Schiller vernichtet sein Drama *Cosmus von Medicis* nach dem Abschluss.	17
1779	Stuttgart	Ablehnung seiner medizinischen Dissertation *Philosophie der Physiologie*. Schiller muss noch ein weiteres Jahr auf der Militärakademie bleiben. Herzog Karl August von Sachsen-Weimar besucht in Begleitung Goethes die Militärakademie; Teilnahme an der Preisverleihung.	20
1780	Stuttgart	Schiller hält die Festrede anlässlich des Geburtstags der Mätresse des Herzogs Karl Eugen, Reichsgräfin Franziska von Hohenheim, mit dem Titel *Die Tugend in ihren Folgen betrachtet*. Franziska dient Schiller als Vorbild für die Figur der Lady Milford in *Kabale und Liebe*. Vorlegung seiner neuen Dissertation *Über den Zusammenhang der tierischen Natur des Menschen mit seiner geistigen*. Entlassung aus der Militärakademie als Militärarzt. Anstellung als Regimentsmedikus des Grenadierregiments Augé in Stuttgart.	21
1781		Das Stück *Die Räuber* erscheint anonym mit fingiertem Druckort.	22
1782	Flucht aus Württemberg	Erfolgreiche Uraufführung der *Räuber* am Nationaltheater in Mannheim. Schiller besucht die Aufführung ohne Urlaubsbewilligung. Als der Herzog davon erfährt, erhält Schiller 14 Tage Arrest und das Verbot der schriftstellerischen Tätigkeit. Beschäftigung mit dem Stoff zu *Luise Millerin*. Schiller nutzt das Fest, das für den russischen Zaren, Großfürst Paul von Russland, anlässlich von dessen Teilnahme an einer Jagd gegeben wird, um mithilfe seines Freundes, des Musikers Andreas Streicher, nach Mannheim zu fliehen. Fortsetzung der Flucht über Darmstadt, Frankfurt nach Oggersheim und schließlich nach Bauerbach in Thüringen. Schillers Stück *Die Verschwörung des Fiesco zu Genua* wird vom Mannheimer Nationaltheater abgelehnt. In Bauerbach lebt Schiller ein Jahr lang als Dr. Ritter auf dem Gut der Frau von Wolzogen.	23

Jahr	Ort	Ereignis	Alter
1783	Bonn, Mannheim	Uraufführung des *Fiesco* in Bonn; Anstellung als Theaterdichter beim Mannheimer Theater.	24
1784	Frankfurt a. M., Mannheim	Uraufführung von *Luise Millerin* unter dem von Iffland vorgeschlagenen Titel *Kabale und Liebe*; Beginn von Schillers gesundheitlichen Problemen. Er erkrankt schwer an Malaria. Antrittsrede in der „Deutschen Gesellschaft" unter dem Titel *Vom Wirken der Schaubühne auf das Volk*, später: *Die Schaubühne als eine moralische Anstalt betrachtet.*	25
1785	Gohlis, Loschwitz, Dresden	Übersiedlung nach Gohlis, zusammen mit dem neuen Leipziger Freundeskreis; erste Begegnung mit Körner. Arbeit an *Don Karlos;* gemeinsame Wohnung mit Körner in Loschwitz, Übersiedlung nach Dresden, Entstehung von *An die Freude* und der Erzählung *Der Verbrecher aus verlorener Ehre.*	26
1787	Hamburg, Dresden, Weimar, Rudolstadt	Uraufführung von *Don Karlos* in Hamburg; Beginn am Roman *Der Geisterseher;* Reise nach Weimar, dort u. a. Begegnung mit Wieland und Herder; Fertigstellung des *Abfalls der vereinigten Niederlande.* In Rudolstadt lernt Schiller die Familie von Lengefeld kennen; besonders die Tochter Charlotte hat es ihm angetan.	28
1788	Rudolstadt	Beginn des Briefwechsels mit Charlotte von Lengefeld; Besuch Goethes in Rudolstadt; distanzierte Haltung gegenüber Schiller: Er kann mit dem leidenschaftlichen und impulsiven Schiller wenig anfangen.	29
1789	Jena	Auf Vorschlag Goethes erhält Schiller eine Geschichtsprofessur in Jena; Übersiedlung nach Jena. Jetzt hat Schiller die finanziellen Möglichkeiten, eine Familie zu gründen. Er hält um die Hand Charlottes an. Beginn der Freundschaft mit Wilhelm von Humboldt.	30
1790	Jena	Herzog Karl August gewährt Schiller ein festes jährliches Gehalt. Der Meininger Hof verleiht Schiller den Titel eines Hofrats. Schiller heiratet Charlotte von Lengefeld. Die ersten beiden Bücher von Schillers *Geschichte des Dreißigjährigen Krieges* erscheinen. Bekanntschaft mit dem in Jena studierenden Novalis; Besuch Goethes in Jena.	31

Jahr	Ort	Ereignis	Alter
1791	Jena, Karlsbad	Ausbruch einer schweren Lungen- und Bauchfellerkrankung, an deren Folgen Schiller für den Rest seines Lebens leidet. Kuraufenthalt in Karlsbad; intensive Beschäftigung mit der Philosophie Kants. Schiller erhält vom dänischen Hof ein jährliches Geschenk von tausend Talern für drei Jahre zugesprochen.	32
1792		Schiller wird durch die französische Nationalversammlung das französische Bürgerrecht verliehen; Bekanntschaft mit Friedrich Schlegel.	33
1793	Ludwigsburg, Stuttgart	Übersiedlung nach Ludwigsburg; Arbeit an theoretischen Schriften. Tod des Herzogs Karl Eugen von Württemberg; Besuch in Stuttgart und begeisterter Empfang in der Karlsschule; Bekanntschaft mit Hölderlin; Geburt von Schillers erstem Sohn, Karl Friedrich Ludwig; Fortführung der philosophischen und ästhetischen Studien.	34
1794	Ludwigsburg, Jena	Bekanntschaft mit Fichte; auf der Tagung der „Naturforschenden Gesellschaft" in Jena Begegnung mit Goethe. Langes Gespräch mit Goethe über die Urpflanze, die Metamorphosenlehre und das Verhältnis von Idee und Erfahrung in den Naturwissenschaften. Beginn des persönlichen Briefwechsels zwischen Goethe und Schiller, aus dem sich eine enge Freundschaft entwickeln wird.	35
1795	Jena	Trotz schlechten Gesundheitszustandes entstehen zahlreiche Gedichte.	36
1796	Jena	In Zusammenarbeit mit Goethe entsteht der *Xenienalmanach* im *Musenalmanach für das Jahr 1797* und erregt ungeheures Aufsehen. Besuch von Schelling und Jean Paul bei Schiller; Tod der Schwester Nanette und des Vaters. Schillers zweiter Sohn, Ernst Friedrich Wilhelm, wird geboren. Schiller wird zum ordentlichen Honorarprofessor in Jena ernannt; Entstehung mehrerer Balladen; Arbeit am *Wallenstein*; wiederholte Treffen mit Goethe.	37
1799	Weimar	Die Trilogie *Wallensteins Lager, Piccolomini, Wallensteins Tod* wird in Weimar uraufgeführt; Besuch von Ludwig Tieck. *Das Lied von der Glocke* erscheint im *Musenalmanach für das Jahr 1800*; Geburt von Schillers Tochter, Caroline Henriette Luise; Umzug nach Weimar.	40

Jahr	Ort	Ereignis	Alter
1800	Weimar	Erkrankung Schillers an einem Nervenfieber; Uraufführung von *Maria Stuart* in Weimar; Ausgabe von Schillers *Kleinen prosaischen Schriften*.	41
1801	Leipzig	Uraufführung der *Jungfrau von Orleans* in Leipzig.	42
1802		Schiller erhält vom Wiener Hof den erblichen Adelstitel zugesprochen; Tod der Mutter.	43
1804	Weimar, Berlin	Uraufführung von *Wilhelm Tell* in Weimar; der Erfolg übertrifft den aller bisherigen Dramen Schillers. Reise mit der Familie nach Berlin; hier außerordentliche Ehrungen durch die Öffentlichkeit und das preußische Königshaus. Der Herzog verdoppelt Schillers Gehalt, um ihn in Weimar zu halten. Geburt der jüngsten Tochter, Emilie Friederike Henriette; Arbeit am *Demetrius;* Entstehung der *Huldigung der Künste* als Festspiel zur Ankunft der Großfürstin Maria Pawlowna, der Gattin des Erbprinzen Karl Friedrich.	45
1805	Weimar	Schiller arbeitet weiter am *Demetrius*; sein Gesundheitszustand verschlechtert sich. Schiller stirbt am 9. Mai und wird im „Landschaftskassen-gewölbe" auf dem Sankt-Jakobs-Friedhof in Weimar beigesetzt.	46
1827	Weimar	Überführung von Schillers Leichnam in die Fürstengruft zu Weimar.	

WORT- UND SACHERKLÄRUNGEN

v. 1 **Kuhreihen** Eigentlich eine Melodie ohne Worte, die gesungen oder auf dem Alphorn geblasen wird.

39 **Mythenstein** Ein zum „Haken" gehörender Berg. Vergleiche Anmerkung v. V. 1

146 **Simons und Judä** Festtag der Apostel Simon und Judas. Er fällt auf den 28. Oktober und gilt bei Schiller als Unglückstag. Die Volkskunde kennt dafür keine Belege.

519 **Meinrads Zell** Im Kanton Schwyz. Der hl. Meinrad, ein Einsiedler, den Räuber erschlugen (861).

717 **nid dem Wald** Ein Teil von Unterwalden; der andere: ob dem Wald.

911 **Favenz** Friedrich II. eroberte 1241 Faenza bei Ravenna mit Hilfe von 600 Schweizern, die dafür einen Freibrief erhielten.

1751 **Monstranz** Behälter für das Messopfer, besonders für die Hostie.

2258 **handlich zugehen** Kräftig ziehen. Schiller übernimmt diese Wendung von Aegidius Tschudi (1505–1572), einem schweizerischen Historiker und Politiker. Vergleiche S. 124.

2903 **Brünig** Brauneck, ein Pass in den Schwarzen Bergen von Unterwalden nach Bern. Siehe Anmerkung V. 1193.

2949 **Johannes Müller** Anspielung auf den Schweizer Historiker Joh. von Müller aus Schaffhausen (1762–1809). Vergleiche S. 117 und S. 122.

2975 **alte große Stadt** Vindonissa, eine Grenzstadt der Römer gegen die Germanen; 594 zerstört.

3213 **Dem Freund verboten und dem Feind erlaubt** Formel der Achterklärung.

3253 **Schreckensstraße** Das obere Reußtal mit der Schöllenenschlucht.

3259 **schwarzes Felsentor** Das so genannte Urner Loch, das aber erst 1707 erbaut wurde!

MATERIALIEN

Zugänge

Schiller ist anstrengend – das fand zumindest Henriette von Knebel (1755–1818), nachdem sie die Uraufführung des *Tell* in Weimar gesehen hatte. Ihrem Bruder Karl Ludwig schrieb die Erzieherin der sächsischen Prinzessin Karoline Luise von Sachsen-Weimar einen heute noch amüsant zu lesenden Verriss der Aufführung. Als Schiller ein Exemplar seines Stücks über den Schweizer Freiheitskämpfer seinem Gönner und Förderer, dem Mainzer Kurfürsten Karl Theodor von Dalberg, schickte, legte er ein Gedicht bei, in der Absicht, Dalberg das Stück zu widmen, was dieser jedoch ablehnte. Warum Schillers Stück mit seiner Behandlung des Themas Gewalt aktueller denn je ist, erklärt die Literaturwissenschaftlerin Katharina Mommsen 2003 in einem Interview. Für die Schweizer Germanistin Barbara Piatti ist der *Tell* mit seinen präzisen Ortsangaben der seltene Fall eines „topografischen Dramas" – und das, obwohl Schiller nie in der Schweiz gewesen ist!

Zu lang, viel zu lang – und dann noch die Hitze! (Henriette von Knebel, 22. März 1804)

Da ich den großen, man könnte ihn auch den langen *Tell* nennen, glücklich ausgehalten habe, so kann ich ihn auch loben; denn ich dachte, die Hitze würde mich umbringen, weil es ganz gedrängt voll Menschen war, und der größte Spaß an diesem Tag waren die vielen Kutschen und Reiter, auch Fußgänger, welche alle die jenaische Straße herbeikamen. Da war es billig, dass sie nicht für drei, sondern für fünf Stunden Vergnügen bekamen, um sie recht zu sättigen. – Die Geschichte von Tell selbst ist, dünkt mich, für sich immer interessant genug, und es war durch die Dekoration gesorgt, wiewohl mit aller meyerischen und goethischen Steifigkeit, uns recht in die Schweiz zu versetzen. Gleich bei Eröffnung des Vorhangs der Fischer auf dem See unten im Kahn, der Gämsenjäger auf der Höh' auf einem schönen Abhang und gegen ihm über der Hirte sitzend, auch auf einem Felsenstück, singen und bleiben so unbeweglich, dass man vergehen möchte. Fragst du endlich nach den Dialogen, so muss ich mit Seufzen antworten: zu lang, viel zu lang! Wir haben für zwei Tage genug gehabt, und sind den Montag, da es zum andern Mal gegeben wurde, weggeblieben. (…)

Zitiert nach: Frank Suppanz (Hrsg.): *Friedrich Schiller – „Wilhelm Tell". Erläuterungen und Dokumente.* Stuttgart: Reclam, 2012 (RUB Nr. 16052), S. 136 f.

Widmungsverse an Karl Theodor von Dalberg (Friedrich Schiller, 1804)

Wenn rohe Kräfte feindlich sich entzweien
Und blinde Wut die Kriegesflamme schürt,
Wenn sich im Kampfe tobender Parteien
Die Stimme der Gerechtigkeit verliert,
Wenn alle Laster schamlos sich befreien,
Wenn freche Willkür an das Heil'ge rührt,
Den Anker löst, an dem die Staaten hängen,
– Das ist kein Stoff zu freudigen Gesängen!

Doch wenn ein Volk, das fromm die Herden weidet,
Sich selbst genug, nicht fremden Guts begehrt,
Den Zwang abwirft, den es unwürdig leidet,
Doch selbst im Zorn die Menschlichkeit noch ehrt,
Im Glücke selbst, im Siege sich bescheidet,
– Das ist unsterblich und des Liedes wert.
Und solch ein Bild darf ich *dir* freudig zeigen:
Du kennst's, denn alles Große ist *dein* eigen.

Friedrich Schiller: *Sämtliche Gedichte. Zweiter Teil.* Hrsg. v. Herbert G. Göpfert. München: Deutscher Taschenbuchverlag, 1965, S. 216 f.

Mögliche Reaktionen auf tyrannische Gewalt (Katharina Mommsen, 2003)

Der Tyrannenmord in der Hohlen Gasse. Daran haben sich die Geister schon immer geschieden. Für manche ist es eine sittliche Tat, ein Befreiungsschlag, für andere ein Meuchelmord, ein nicht zu sühnendes Unrecht. Tell steht damit immer im Spannungsfeld zwischen Held und Mörder. (…)

Gerade aus aktuellen Gründen ist mir aber die Behandlung des Gewaltthemas so wichtig geworden. Man kann Schillers *Wilhelm Tell* als ein Stück über die verschiedenartigen Reaktionen der Menschen auf tyrannische

Gewalt auffassen. Schiller zeigt sechs verschiedene Arten von menschlichen Reaktionen auf Gewalt. Er zeigt den planmäßig organisierten Widerstand – das sind Stauffacher, von Attinghausen und die Rütlibündler –, dann zeigt er den Widerstand zunächst innerhalb des Gewaltsystems – das ist Berta –, an Rudenz zeigt er die Anpassung an das System, die man mit allen nur denkbaren Gründen vor sich und anderen rechtfertigt, dann Passivität, Nichtstun aus egoistischen Gründen, das zeigt sich bei Hedwig, aber auch bei anderen, etwas Ängstlicheren im Stück, dann das Sichbeugen bei heimlichem Maulen dagegen – das sind die Bauarbeiter an Zwing-Uri –, schließlich die sechste Art: persönliche Rache – Baumgarten, Tell. Mir ist an diesem Stück deutlich geworden, dass Gewalt nicht nur deswegen unmenschlich ist, weil sie sich gegenüber den Unterworfenen unmenschlich verhält, wie etwa im Falle der Blendung des alten Melchthal, der angedrohten Vergewaltigung von Baumgartens Frau, der Zerstörung der Hütten und Herden in der ersten Szene. Aber das andere ist viel interessanter. Das Gewaltsystem ist unmenschlich vor allem deshalb, weil es die Menschlichkeit der Gewaltunterworfenen pervertiert. Und das kann man an mehreren Figuren ablesen. Am deutlichsten wird die Menschlichkeit jener angegriffen, die vorher, bevor sie die Entwürdigung ihrer Person durch die Gewalt am eigenen Leib erfahren mussten, ihren Mitmenschen als gut erschienen sind. Tell ist bis zur Apfelschussszene ein makelloser Charakter. Aber die Ungeheuerlichkeit, auf sein eigenes Kind schießen zu müssen, verwandelt seine „Milch der frommen Denkungsart in gärend Drachengift".

Aus seinem Frieden herausgeschreckt, hat er seine moralische Unschuld verloren. Als Tell aus persönlicher Rache seinen Todfeind aus dem Hinterhalt umbringt und sich danach seiner „reinen Hände" rühmt, als einer, der eine heilige Schuld einlösen musste, ist sein Rechtsgefühl pervertiert. Doch Tell verbirgt sein Gesicht während der Begegnung mit Parricida gemäß Schillers Regieanweisung. Das ist in der antiken Dramensprache der Gestus der Schuld. Dass Tell ein Bewusstsein seiner Schuld hat, wird auch dadurch bestätigt, dass er sich als „Mensch der Sünde" bezeichnet und dass er am Ende des Stücks, als ihm alle zujubeln, verstummt. Für mein Gefühl wird Tell zur tragischen Figur durch das politische Gewaltsystem. Und das scheint mir doch etwas sehr Aktuelles zu sein.

Barbara Piatti: *Tells Theater. Eine Kulturgeschichte in fünf Akten zu Friedrich Schillers ‚Wilhelm Tell'*. Basel: Schwabe Verlag, 2004, S. 118–120.

Wilhelm Tell als topografisches Drama (Barbara Piatti, 2008)

Friedrich Schiller hat den Vierwaldstättersee und die Urner Täler nie mit eigenen Augen gesehen. Die Schauplätze der Tell-Sage – Rütli, Altdorf, Tellsplatte, Hohle Gasse und Bürglen – und die sublime Landschaft aus Fels und Wasser, Wald und Himmel musste er sich buchstäblich erst in sein Weimarer Arbeitszimmer holen. Es ließe sich an dieser Stelle vieles sagen über Schillers Arbeitstechnik, darüber, wie er sich einen ihm unbekannten Raum offenbar virtuell und dreidimensional vergegenwärtigen konnte. Nur so viel: Er war ein guter und genauer Kartenleser, und die Wände seiner Mansarde tapezierte er mit kartografischem Material und Souvenirblättern, um sich in der „Landschaft Tells" orientieren zu können. Die fehlende direkte Anschauung empfand er dabei durchaus als Manko: „Mich würde es bei meinem jetzigen Geschäft sehr fördern, wenn ich auch die Alpen und die Alpenhirten in der Nähe gesehen hätte!", schrieb er im August 1803, mitten in der Arbeit am *Wilhelm Tell*, an seinen Verleger Cotta.

Entstanden ist ein Stück, das nebst zahlreichen anderen Bedeutungsschichten auch als *topografisches* Drama bezeichnet werden kann – ein in der Dramengeschichte bemerkenswerter, weil vereinzelter Fall. Denn normalerweise ist das Drama, von wenigen Ausnahmen abgesehen, genuin a-topografisch angelegt. Die mangelnde konkrete Ausgestaltung von Handlungszonen und Schauplätzen hat verschiedene gattungsbedingte Gründe: Unter anderem mussten und müssen Autoren Rücksicht nehmen auf die beschränkten Visualisierungstechniken der Bühnen bzw. auf den Umstand, dass dieselben Kulissen oft für mehrere Stücke eingesetzt worden sind; deshalb sind die Szenenanweisungen, was den räumlichen Aspekt anbelangt, oft unspezifisch gehalten – genannt wird ein Dorf, ein Landgasthaus, ein Feld usw.; auch im Drama der Moderne ist der unkonkrete Ort vorherrschend, wenn auch aufgrund anderer Überlegungen. Man denke an Becketts Szenenanweisungen in *Waiting for Godot*, in dem sich die Schauplatzbeschreibung in einem lakonischen „A country road. A tree" erschöpft. Und wenn Toponyme real existierender Örtlichkeiten eingeführt werden, dann haben sie doch bloß die Funktion von Chiffren, wie Max Frischs *Andorra* oder Marieluise Fleißers *Fegefeuer in Ingolstadt*.

Das Drama setzt (dies müsste man im Hinblick auf die historischen Entwicklungslinien verfeinert darstellen) nicht auf eine exakte Topografie, sondern auf Raumsemantik. Garten, Wald, Kerker, Gasthof, Schloss, Hütte, Dorfplatz, Schenke, Straße: Das alles sind Topoi des Dramas, zei-

Tellsplatte und -kapelle am Ufer des Vierwaldstättersees (um 1900)

chenhafte Versatzstücke, die irgendwo situiert werden, ohne dass dabei das weitere Umfeld, der Gesamtraum in seiner geografischen und topografischen Dimension von Bedeutung wären.

Anders Schillers *Wilhelm Tell*. Urs Widmer ist der Meinung, dass Schiller die Handlung „durch eine geradezu aufdringlich exakte Topografie" beglaubige. Hundertfünfzig geografische Angaben zählt er im Text. „Schiller muss mit dem Vergnügen eines Kopfreisenden auf seine Karte geblickt und sich immer erneut geeignete Orte herausgepickt haben. Er macht keine Fehler. Keine Angaben, die sich widersprechen. Die Wege wären abschreitbar." Dass Schiller keine Fehler macht, stimmt nicht ganz – aber es sind wenige, und diese sind mehr als verzeihlich. Ansonsten ist die fiktionale Topografie exakt – und was mindestens ebenso wichtig ist: sehr dicht. Die eigentlichen Schauplätze werden ergänzt durch eine große Zahl an topografischen Markern – Bezeichnungen, die außerhalb der eigentlichen Schauplätze liegen, also dem geografischen Horizont zuzuordnen sind. Durch ihre bloße Erwähnung wird allerdings ein Handlungsraum von beträchtlichem Radius abgesteckt. (...)

Barbara Piatti: *Die Geographie der Literatur. Schauplätze, Handlungsräume, Raumphantasien.* Göttingen: Wallstein Verlag, 2. Aufl. 2009, S. 156 f.

BIOGRAFIE

WORT- UND SACHERKLÄRUNGEN

MATERIALIEN

Historische Realität und Fiktion

Über das Verhältnis von historischer Realität und dichterischer Freiheit in Schillers dramatischen Werken reflektiert Gero von Wilpert. Er weist ebenso wie Walter Krämer und Götz Trenkler in ihrem *Lexikon der populären Irrtümer* darauf hin, dass es sich bei dem Schweizer Volkshelden Wilhelm Tell nicht um eine historische Person, sondern vielmehr um eine Sagenfigur handelt. Der Bundesbrief der drei Talschaften Uri, Schwyz und Nidwalden aus dem Jahr 1291 gilt als Gründungsurkunde der Schweizerischen Eidgenossenschaft.

Wie unhistorisch sind Schillers historische Dramen? (Gero von Wilpert, 2009)

Eine nur aus Sahne bestehende Sahnetorte wäre vermutlich ebenso ungenießbar wie hundertprozentiger Wodka, und mit den Geschichtsdramen verhält es sich ähnlich: Ein historisches Drama nur aus dokumentierten historischen Vorgängen würde sich bedenklich dem unkünstlerischen Dokumentartheater annähern. Schiller war jedoch nicht nur Historiker, sondern auch und vorwiegend Dichter und durfte sich poetische Freiheiten leisten, um die Historie zu poetisieren und den erstrebten Effekt auf das Publikum zu erhöhen. „Mit der Historie getraue ich mir bald fertig zu werden, denn ich bin nicht [Fiescos] Geschichtsschreiber, und eine einzige große Aufwallung, die ich durch die gewagte Erdichtung in der Brust meiner Zuschauer bewirke, wiegt bei mir die strengste historische Genauigkeit auf." (*Zur Erinnerung an das Publikum*, 1784)

Die Kenntnis der zugrunde liegenden historischen Vorgänge ist für das Verständnis eines in sich schlüssigen Dramas nicht unumgänglich, doch sie bietet Einblicke in die Organisation des Dramas als Kunstwerk, in die eventuellen Schwerpunktverlagerungen und die Abänderung der Charaktere zu poetisch-dramatischen Zwecken. Wenn im Folgenden die wesentlichsten Abweichungen von der historischen Wahrheit in Schillers Geschichtsdramen aufgezeigt werden, so nicht, um das Geschichtsbild des Lesers/Zuschauers zurechtzurücken oder gar um dem Dichter Fehler, Ungenauigkeiten oder mangelnde Sachkenntnis nachzuweisen, sondern

Der Rütlischwur mit den drei ersten Eidgenossen nach einem Holzschnitt von 1606

um Wege und Gründe der Umgestaltung von der historischen zur poetischen Wirklichkeit aufzuzeigen und Einblicke in die Arbeitsweise des poetischen Historikers zu bieten.

(...)

Wie schon die *Johanna* halb im Historischen, halb im Legendären angesiedelt, so steht auch der *Wilhelm Tell* (1804) praktisch außerhalb der Geschichte, nicht als eine historische Figur, sondern als eine vermutlich fiktive Gestalt der Schweizer Volkssage, die nur in späteren Aufzeichnungen der Sage ohne Anspruch auf historische Richtigkeit erscheint. Da seine historische Existenz nicht nachweisbar ist, kann er allenfalls als Held einer Lokalsage gelten, die Motive aus verschiedenem, besonders nordeuropäischem Sagengut anzog, sich zu einem schweizerischen Nationalhelden auswuchs und die historischen Ereignisse der Zeit um sich sammelte.

Schillers Quellen, besonders Aegidius Tschudis *Chronicon Helveticum* (um 1550) und Johannes von Müllers *Geschichten Schweizerische Eidgenossenschaft* (1786 ff.), tragen bereits die einzelnen Episoden zusammen, doch Schillers Drama geht über das Personenbild hinaus und entfaltet sich in zwei anfangs getrennt laufenden Handlungssträngen: einerseits die Tell-Handlung mit dem Herrschaftssymbol des Hutes auf der Stange, dem Apfelschuss (sehr genau nach Saxo Grammaticus), Sprung vom Boot und Tyrannenmord; andererseits, ausgelöst durch diesen, die Volkshandlung, der Aufstand der Schweizer gegen die Unterdrückung durch Österreich, in der das Volk zum Handlungsträger wird. Erst um 1470 werden beide Stränge um den Rütlischwur von 1291 angenähert. Doch Schiller hält beide getrennt und schließt den Selbsthelfer Tell als Einzelgänger und Projektionsfigur aller von der Masse beim Rütlischwur aus. Als dritte und Nebenhandlung fügt er, frei erfindend, die für ihn so typische Liebesgeschichte zwischen Ulrich von Rudenz und Bertha von Bruneck ein, die sozial Abseitsstehende in die Handlung einholt und die Brücke über die Stände schlägt. Erst der Schlussakt verbindet die individuelle Aktion Tells, die kollektive Revolte der Schweizer und die Adelswelt zu gemeinsamem Handeln. Da heute weder die Person Tells noch die Ableitung der Eidgenossenschaft vom Rütlischwur als historisch gelten, kann Schillers Drama nicht an der Geschichte, sondern nur an der Sage gemessen werden.

Gero von Wilpert: *Die 101 wichtigsten Fragen: Schiller.* München: C. H. Beck Verlag, 2009, S. 124–131.

Populärer Irrtum: Der Freiheitskämpfer Wilhelm Tell hat wirklich existiert (Walter Krämer, Götz Trenkler, 1996)

Auch wenn unsere Schweizer Nachbarn das nicht gerne hören – ihr geliebter Freiheitskämpfer Wilhelm Tell hat niemals seine Pfeile durch die Schweizer Luft geschossen. Nach der Mehrheitsmeinung der akademischen Historiker inner- und außerhalb der Schweiz ist der berühmte Held von Schillers Drama und Rossinis Oper frei erfunden.

Die Folklore sieht das anders. (…)

Diese [Tell-]Legende gibt es in verschiedenen Versionen. In der ältesten, dem sogenannten *Tellenlied* aus der Mitte des 15. Jahrhunderts, wird Tell im See ertränkt; eine andere lässt Tell den Vogt sogleich nach seinem rettenden Sprung vom Schiff noch von der Tellsplatte aus erschießen. Und wieder andere Versionen machen Tell sogar zum Schwurgenossen, zum Mitglied des berühmten Geheimbundes, der die Schweizer Urkantone vom Joch der Habsburger befreien wollte.

Gemeinsam ist allen Varianten der Legende die zeitliche Entfernung – das Telllied entstand mehr als hundert Jahre nach den fraglichen Ereignissen –, der Mangel bzw. die völlige Abwesenheit von schriftlichen Zeugnissen und eine Fülle von Widersprüchen in der Handlung, welche die Historiker schon früh an der Wahrheit dieser Überlieferung zweifeln ließen (so datiert etwa der Bundesbrief, in dem die Eidgenossen sich zu gegenseitigem Beistand verpflichten, aus dem Jahr 1291; der Landvogt Geßler starb dagegen 1307). Sehr verdächtig ist auch der berühmte Apfelschuss: Dieses zentrale Motiv der Tellgeschichte, der Befehl, einen Apfel vom Kopf des eigenen Kindes zu schießen, findet sich schon in verschiedenen nordischen Märchen, die weit vor 1300 zurückreichen, und könnte von durchreisenden Kaufleuten in die Schweizer Täler gebracht worden sein. Denn „nördlich des 54. Breitengrades hat fast jedes Volk seinen Wilhelm Tell", schreibt der französische Historiker Bergier. „Der Schweizer Tell ist bloß, allerdings mit weitem Abstand, der südlichste." Und mit großer Wahrscheinlichkeit genauso erfunden wie die anderen Tellgestalten auch.

Walter Krämer, Götz Trenkler: *Lexikon der populären Irrtümer. 500 kapitale Missverständnisse, Vorurteile und Denkfehler von Abendrot bis Zeppelin.* München: Piper Verlag, 2006, S. 391 ff.

Bundesbrief der drei Orte Uri, Schwyz und Nidwalden (1291)

Im Namen Gottes Amen. Man sorgt für Ehrbarkeit und ist auf das öffentliche Wohl bedacht, wenn man Bündnisse zu gebührendem Bestand der Ruhe und des Friedens bekräftigt.

[1] Es mögen also alle wissen, dass die Leute des Tales Uri und die Landsgemeinde des Tales von Schwyz und die Gemeinde der Waldleute des unteren Tales in Anbetracht der Arglist der Zeit, um sich und das Ihre eher zu verteidigen und besser in gebührendem Stand zu bewahren, in guten Treuen versprochen haben, sich gegenseitig beizustehen mit Hilfe, Rat und Förderung jeder Art, mit Leib und Gut, innerhalb und außerhalb der Täler, mit aller Macht und aller Anstrengung, gegen alle und jeden, die ihnen oder einem von ihnen irgendwelche Gewalttat, Beschwerde oder Beleidigung zufügen, gegen ihr Leib und Gut irgendetwas Böses im Schild führen. Und für jeden Fall hat jede Gemeinde der anderen gelobt, ihr, wenn Hilfe notwendig, beizuspringen und, soweit erforderlich, auf eigene Kosten dem Angriff Böswilliger zu widerstehen und Beleidigungen zu rächen. [2] Sie haben hierüber einen leiblichen Eid geleistet, und dies ohne Hintergedanken zu halten und den alten eidlich bekräftigten Inhalt des Bundes durch Gegenwärtiges zu erneuern. [3] Doch soll jedermann nach seinem Stande gehalten sein, seinem Herrn nach Gebühr Untertan zu sein und zu dienen. [4] Wir haben auch in gemeinsamem Ratschlag und mit einhelligem Beifall einander gelobt, beschlossen und verordnet, dass wir den genannten Tälern keinen Richter, der dies Amt um irgendeinen Preis oder irgendwie um Geld erkauft hätte oder der nicht unser Landsmann wäre, irgendwie annehmen oder anerkennen wollen. (...)

Diese oben geschriebenen, zu gemeinem Nutzen und Wohl verordneten Bestimmungen sollen, so Gott will, ewig dauern. Zur Bestätigung dessen ist auf Bitten der Vorgenannten vorliegende Urkunde ausgefertigt und den Siegeln der drei vorgenannten Gemeinden und Täler bekräftigt worden. Geschehen im Jahre des Herrn 1291, am Anfang des Monats August.

Zitiert nach: Günther Franz (Hrsg.): *Quellen zur Geschichte des deutschen Bauernstandes im Mittelalter.* Darmstadt: Wissenschaftliche Buchgesellschaft, 1967, S. 395–397.

Zur Entstehung

Auf die damalige Aktualität des Tell-Mythos, gerade in Folge der Französischen Revolution, macht der Germanist Peter-André Alt in seiner Zusammenfassung der Entstehungsgeschichte aufmerksam. Ursprünglich wollte Goethe die Tell-Sage selbst dichterisch verwerten, trat das Sujet dann aber an seinen Freund Schiller ab, der, wie Zeugnisse belegen, überaus gründlich gerade die topografischen Verhältnisse recherchierte, um schließlich, ohne Rücksicht auf seine Gesundheit, das Stück in relativ kurzer Zeit fertigzustellen. Wie eng dabei die Zusammenarbeit mit Goethe war, belegt Goethes Erinnerung an seine Kritik an der aus seiner Sicht unzureichenden Motivierung der Apfelschussszene. Schillers Entgegnung auf die Einwände des Theaterintendanten August Wilhelm Iffland enthalten wichtige Bemerkungen zur Intention des Dichters. Die Reaktionen nach der Uraufführung in Weimar am 17. März 1804 sowie kurz darauf in Berlin und anderen Städten wertete Schiller als seinen größten Erfolg als Dramatiker.

Sich rapide steigerndes Schreibtempo (Peter-André Alt, 2004)

Aktuelle Bezüge lagen in der Luft, als sich Schiller zur Jahreswende 1801/02 mit dem *Tell*-Stoff gründlicher zu befassen begann. Der Tell-Mythos gehörte zu den beliebtesten Geschichtslegenden der Französischen Revolution. Man huldigte Wilhelm Tell als Freiheitskämpfer, indem man Pariser Straßen nach ihm benannte, seinen Namenstag (29. November) feierte, ihm ein Denkmal errichtete und ihn zum Schutzpatron der Republik ausrief. Seinen Höhepunkt erreichte dieser Kult, als der Nationalkonvent im August 1793 anordnete, dass die Theater der Metropole regelmäßig *Tell*-Dramen aufzuführen hätten. Zudem rückte die Schweiz nach der Gründung der Helvetischen Republik, die mit Unterstützung Frankreichs 1798 ins Leben gerufen worden war, verstärkt ins Blickfeld der mitteleuropäischen Politik. Das neue Staatsgebilde erwies sich als äußerst brüchig und provozierte bürgerkriegsähnliche Konflikte, die Napoleon 1803 beendete, indem er die alte Kantonatsstruktur restituierte und die Parlamente aufhob. Es ist offenkundig, dass Schiller mit seiner Darstellung der Begründung des Rütlibundes (II, 2) auch auf die aktuelle Schweizer Staatsumwälzung anspielte.

Im Sommer 1802 wird die Auseinandersetzung mit den historischen und geografischen Hintergründen des *Tell*-Sujets abgeschlossen. Die szenische Konzeption erweist sich, nicht zuletzt durch die zu epischer Breite tendierenden Materialmassen, als äußerst schwierig. An Körner schreibt Schiller am 9. September 1802: „Übrigens brauche ich dir nicht zu sagen, dass es eine verteufelte Aufgabe ist; denn wenn ich auch von allen Erwartungen, die das Publikum und das Zeitalter gerade zu diesem Stoff mitbringen, wie billig abstrahiere, so bleibt mir doch eine sehr hohe poetische Forderung zu erfüllen, weil hier ein ganzes, lokalbedingtes Volk, ein ganzes und entferntes Zeitalter, und, was die Hauptsache ist, ein ganzes örtliches, ja beinah individuelles und einziges Phänomen, mit dem Charakter der höchsten Notwendigkeit und Wahrheit soll zur Anschauung gebracht werden." (...) Mit Rücksicht auf solche Schwierigkeiten wird der *Tell*-Plan zunächst dem Abschluss der *Braut von Messina* geopfert. Erst am 15. August 1803, nach dem triumphalen Theatererfolg des Chordramas, beginnt die gründlichere Ausführung des *Tell*-Manuskripts. Als Modell für die technisch schwierigen Massenszenen dient Schiller Shakespeares *Julius Cäsar*, den er im Herbst 1803 nochmals gründlicher liest. Aus praktischen Erwägungen erarbeitet er in dieser Phase die einzelnen Handlungsstränge des Dramas – die Rütliverschwörung und das Tell-Geschehen – getrennt, wie ein Brief an Iffland Anfang Dezember 1803 erläutert (...).

Nachdem der erste Aufzug am 13. Januar 1804 abgeschlossen worden ist, steigert sich das Schreibtempo rapide. Bereits am 18. Januar 1804 ist der zweite Aufzug mit der großen Rütliszene beendet; am 23. Januar werden die ersten beiden Akte nach Berlin geschickt, wo Iffland eine exakt vorbereitete Aufführung plant. Am 5. Februar 1804 nimmt der Schweizer Historiker Johannes von Müller, der gerade Weimar besucht, das Manuskript des dritten und Teile des vierten Aufzugs auf seine Weiterreise nach Berlin mit: „Ein solcher Bote muss dem Werke selbst Segen bringen." (...)

Knapp zwei Wochen später ist der gesamte Text abgeschlossen; Germaine de Staël[1] und Benjamin Constant[2] zählen am 26. Februar 1814 zu den aufmerksamen Zuhörern, denen Schiller Auszüge des Dramas vorliest. Nach einer auch für die Verhältnisse der Zeit extrem kurzen Probendauer findet am 17. März 1804 die Weimarer Uraufführung statt, der innerhalb weniger Monate Inszenierungen in Berlin, Mannheim, Breslau, Hamburg, Bremen, Magdeburg und Braunschweig folgen. Im Mai und Juni 1804 geht der Text in vier Teilen an Cotta nach Tübingen, der ihn zur Herbstmesse 1804 in 7000 Exemplaren auf den Markt bringt. Die erste Auflage ist binnen weniger Wochen verkauft, ebenso der rasch veranstaltete Nachdruck mit nochmals 3000 Exemplaren – Zahlen, die das Renommee des Autors und die Publikumswirksamkeit seines Textes dokumentieren.

Peter-André Alt: *Friedrich Schiller* (Reihe C. H. Beck Wissen). München: C. H. Beck, 2004, S. 111–113.

Wie Goethe den Tell-Stoff an Schiller abtrat (Johann Peter Eckermann, 1848)

Sonntag, den 6. Mai 1827

Abermalige Tischgesellschaft bei Goethe, wobei dieselbigen Personen zugegen wie vorgestern. Man sprach sehr viel über die *Helena* und den *Tasso*. Goethe erzählte uns darauf, wie er im Jahre 1797 den Plan gehabt, die Sage vom *Tell* als episches Gedicht in Hexametern zu behandeln.

„Ich besuchte", sagte er, „im gedachten Jahre noch einmal die kleinen Kantone und den Vierwaldstätter See, und diese reizende, herrliche und großartige Natur machte auf mich abermals einen solchen Eindruck, dass es mich anlockte, die Abwechselung und Fülle einer so unvergleichlichen Landschaft in einem Gedicht darzustellen. Um aber in meine Darstellung mehr Reiz, Interesse und Leben zu bringen, hielt ich es für gut, den höchstbedeutenden Grund und Boden mit ebenso bedeutenden menschlichen

[1] Die französische Schriftstellerin (1766–1817) war die wichtigste Vermittlerin deutscher Literatur und Kultur nach Frankreich.

[2] Schweizer Schriftsteller, Politiker und Staatstheoretiker (1767–1830).

Wilhelm-Tell-Statue in Altdorf

Figuren zu staffieren, wo denn die Sage vom *Tell* mir als sehr erwünscht zustattenkam.

Den Tell dachte ich mir als einen urkräftigen, in sich selbst zufriedenen, kindlich-unbewussten Heldenmenschen, der als Lastträger die Kantone durchwandert, überall gekannt und geliebt ist, überall hülfreich, übrigens ruhig sein Gewerbe treibend, für Weib und Kinder sorgend, und sich nicht kümmernd, wer Herr oder Knecht sei.

Den Geßler dachte ich mir dagegen zwar als einen Tyrannen, aber als einen von der behaglichen Sorte, der gelegentlich Gutes tut, wenn es ihm Spaß macht, und gelegentlich Schlechtes tut, wenn es ihm Spaß macht, und dem übrigens das Volk und dessen Wohl und Wehe so völlig gleichgültige Dinge sind, als ob sie gar nicht existierten.

Das Höhere und Bessere der menschlichen Natur dagegen, die Liebe zum heimatlichen Boden, das Gefühl der Freiheit und Sicherheit unter dem Schutze vaterländischer Gesetze, das Gefühl ferner der Schmach, sich von einem fremden Wüstling unterjocht und gelegentlich misshandelt zu sehen, und endlich die zum Entschluss reifende Willenskraft, ein so verhasstes Joch abzuwerfen, alles dieses Höhere und Gute hatte ich den bekannten edlen Männern Walther Fürst, Stauffacher, Melchthal und anderen zugeteilt, und dieses waren meine eigentlichen Helden, meine mit Bewusstsein handelnden höheren Kräfte, während der Tell und Geßler zwar auch gelegentlich handelnd auftraten, aber im ganzen mehr Figuren passiver Natur waren.

Von diesem schönen Gegenstände war ich ganz voll, und ich summte dazu schon gelegentlich meine Hexameter. Ich sah den See im ruhigen Mondschein, erleuchtete Nebel in den Tiefen der Gebirge. Ich sah ihn im Glanz der lieblichsten Morgensonne, ein Jauchzen und Leben in Wald und Wiesen. Dann stellte ich einen Sturm dar, einen Gewittersturm, der sich aus den Schluchten auf den See wirft. Auch fehlte es nicht an nächtlicher Stille und an heimlichen Zusammenkünften über Brücken und Stegen.

Von allem diesem erzählte ich Schillern, in dessen Seele sich meine Landschaften und meine handelnden Figuren zu einem Drama bildeten. Und da ich andere Dinge zu tun hatte und die Ausführung meines Vorsatzes sich immer weiter verschob, so trat ich meinen Gegenstand Schillern völlig ab, der denn darauf sein bewundernswürdiges Gedicht schrieb."

Johann Peter Eckermann: *Gespräche mit Goethe in den letzten Jahren seines Lebens.* Hrsg. v. Fritz Bergemann. o. O.: Insel Verlag, 1981, S. 588 f.

Eine Karte, bitte! (an seinen Verleger Johann Friedrich Cotta, 16. März 1802)

Können Sie eine genaue Spezialkarte von dem Waldstättensee und den umliegenden Kantons mir verschaffen, so haben Sie die Güte, sie mitzubringen. Ich habe so oft das falsche Gerücht hören müssen, als ob ich einen *Wilhelm Tell* bearbeite, dass ich endlich auf diesen Gegenstand aufmerksam worden bin, und das *Chronicon Helveticum* von Tschudi studierte. Dies hat mich so sehr angezogen, dass ich nun in allem Ernst einen *Wilhelm Tell* zu bearbeiten gedenke, und das soll ein Schauspiel werden, womit wir Ehre einlegen wollen. Sagen Sie aber niemand kein Wort davon, denn ich verliere die Lust an meinen Arbeiten, wenn ich zu viel davon reden höre. Ist das *Chronicon* von Tschudi um etliche Gulden zu bekommen, so bringen Sie mir's auch mit, denn ich möchte es wohl eigen besitzen.

Schillers Werke. Nationalausgabe. 31. Band: Briefwechsel. Schillers Briefe 1801–1802. Hrsg. v. Stefan Ormanns. Weimar: Hermann Böhlaus Nachfolger, 1985, S. 116.

Die Hohle Gasse bei Küssnacht

Schillers Quellenstudium (an seinen Verleger Johann Friedrich Cotta, 9. August 1803)

Sie werden nun wohl wieder aus der Schweiz zurück sein. Möchten Sie mit Ihrer lieben Gattin recht viel Freude da genossen haben! Mich würde es bei meinem jetzigen Geschäft sehr fördern, wenn ich auch die Alpen und Alpenhirten in der Nähe gesehen hätte!

Wenn Ihnen einige Prospekte von schweizerischen Gegenden, besonders aber von dem Schweizerufer des Waldstättensees, dem Rütli gegenüber, in die Hände fallen sollten, so senden Sie mir sie doch. Auch wünschte ich *Füßlis* Erdbeschreibung, Tschockes *Werk von der Schweitz* und die *Briefe über ein schweitzerisches Hirtenland*, so wie auch von *Ebels* Schrift über die Gebirgsvölker die Fortsetzung zu besitzen. Alle diese Werke könnte ich in 14 Tagen zurückschicken, wenn ich sie geliehen bekommen könnte. Auch was in Bern über Wilhelm Tell neuerdings herausgekommen ist, wünschte ich zu lesen, wenn es Ihnen nicht zu viel Mühe macht, mir's zu verschaffen.

Schillers Werke. Nationalausgabe. 32. Band: Briefwechsel. Schillers Briefe 1803–1805. Hrsg. v. Axel Gellhaus. Weimar: Hermann Böhlaus Nachfolger, 1984, S. 59.

BIOGRAFIE WORT- UND SACHERKLÄRUNGEN MATERIALIEN

„Im *Tell* leb ich und web ich jetzt"(an August Wilhelm Iffland[3], 9. November 1803)

Im *Tell* leb ich und web ich jetzt, ich bin zufrieden mit dem, was gemacht ist und habe die beste Hoffnung zu dem, was noch zu machen, ein rechtes Stück für das *ganze Publikum* verspreche ich Ihnen – aber mein teurer, lieber Freund, über das *Wann* kann ich Ihnen, und wenn es den Kopf gälte, nichts Bestimmtes sagen. Fast fürchte ich, vor der Mitte Aprils nicht ganz fix und fertig werden zu können, weil ich von dem leidigen Winter immer ein vier oder sechs Wochen auf Unpässlichkeit und Unlaunigkeit abrechnen muss.

Schillers Werke. Nationalausgabe. 32. Band: Briefwechsel. Schillers Briefe 1803–1805. Hrsg. v. Axel Gellhaus. Weimar: Hermann Böhlaus Nachfolger, 1984, S. 84.

Schillers Kalender (18. Februar 1804)

Den *Tell* geendigt.

Schillers Werke. Nationalausgabe. 10. Band: Die Braut von Messina, Wilhelm Tell, Die Huldigung der Künste. Hrsg. v. Siegfried Seidel. Weimar: Hermann Böhlaus Nachfolger, 1980, S. 378.

Goethes Kritik an der Apfelschussszene (Johann Peter Eckermann, 1836)

Riemer[4] erinnerte an Schillers Persönlichkeit. „Der Bau seiner Glieder, sein Gang auf der Straße, jede seiner Bewegungen", sagte er [Riemer], „war stolz, nur die Augen waren sanft." – „Ja, sagte Goethe, alles Übrige an ihm war stolz und großartig, aber seine Augen waren sanft. Und wie sein Körper war sein Talent. Er griff in einen großen Gegenstand kühn hinein und betrachtete und wendete ihn hin und her und sah ihn so an und so, und handhabte ihn so und so. Er sah seinen Gegenstand gleichsam nur von außen an, eine stille Entwickelung aus dem Innern war nicht seine Sache. Sein Talent war mehr desultorisch[5]. Deshalb war er auch nie entschieden und konnte nie fertig werden. Er wechselte oft noch eine Rolle kurz vor der Probe.

Und wie er überall kühn zu Werke ging, so war er auch nicht für vieles Motivieren. Ich weiß, was ich mit ihm beim *Tell* für Not hatte, wo er geradezu den Geßler einen Apfel vom Baum brechen und vom Kopf des Knaben schießen lassen wollte. Dies war nun ganz gegen meine Natur, und ich überredete ihn, diese Grausamkeit doch wenigstens dadurch zu motivieren, dass er Tells Knaben mit der Geschicklichkeit seines Vaters

3 (1759–1814), Schauspieler, Intendant und Dramatiker.
4 Friedrich Wilhelm Riemer (1774–1845), deutscher Lehrer, Schriftsteller und Bibliothekar in Weimar, wurde 1814 Goethes Sekretär.
5 unbeständig, sprunghaft.

gegen den Landvogt großtun lasse, indem er sagt, dass er wohl auf hundert Schritte einen Apfel vom Baum schieße. Schiller wollte anfänglich nicht daran, aber er gab doch endlich meinen Vorstellungen und Bitten nach und machte es so wie ich ihm geraten. (...)"

Johann Peter Eckermann: *Gespräche mit Goethe in den letzten Jahren seines Lebens.* Hrsg. v. Fritz Bergemann. o. O.: Insel Verlag, 1981, S. 132.

„Das Notwendige und Rechtliche der Selbsthilfe" (Iffland/Schiller, 1804)

Ifflands Kritik

Als ich beim Lesen an den Monolog Tells kam, ward ich sehr gespannt, als ich auf die zweite Seite geriet, verlor sich diese Spannung; und da der Monolog zu Ende war, bemeistert sich meiner eine wunderbare Empfindung. Das Bildnis Tells hatte den lieblichen Schimmer verloren, die Vernunft konnte den langsamen, festen Vorsatz des Mordes begreifen; aber ich weiß nicht, was sich inwendig regte und mir zuflüsterte: So lange sollte Tell vor dem Mord nicht da stehen und mit sich allein dabei reden. Freilich heißt dies Reden eigentlich denken, und soll nicht Reden bedeuten; allein diese Bemerkung vergisst sich und Tell verliert darüber.

Als im 5. Akt Stauffacher den Mord Kaiser Alberts erzählt, dachte ich, nun werden die Schweizer die Tat verabscheuen, den Schluss fassen, die Mörder nicht aufzunehmen, und dann wird alles zu Tell sich wenden und in der größten Einigung das Stück enden.

Nun war es mir, als hielte sich alles Volk zu lange bei dieser Katastrophe auf und bei den Briefe der Königin.

Schillers Verteidigung

Gegen Empfindungen lässt sich durch Argumente nicht streiten. Tells Monolog, das Beste im ganzen Stück, muss sich also selbsterklärend rechtfertigen. Gerade in dieser Situation, welche der Monolog ausspricht, liegt das Rührende des Stücks, und es wäre gar nicht gemacht worden, wenn nicht diese Situationen und dieser Empfindungszustand, worin Tell sich in diesem Monolog befindet, dazu bewogen hätten. Übrigens ist dieser Monolog bei der Vorstellung von einer sehr hohen und allgemeinen Wirkung gewesen, und kein Teil der Rolle war für den Schauspieler so belohnend.

Die Erscheinung des Parricida befremdete mich; was mit ihm vorgeht, gab mir Missgefühl. Es schien mir, als übe Tell sich zu hart. Es führte mich von der Sache weg. Überhaupt konnte und kann ich des Gedankens mich nicht erwehren, Parricida sollte gar nicht erscheinen und es sollte überall Tells Wohnung im 5. Akte nicht da sein. Man wird aus dem Großen gleichsam ins Detail geführt, und es ist mir, als ginge die Empfindung diesen Gang mit Widerstreben. (...)

Parricidas Erscheinung ist der Schlussstein des Ganzen. Tells Mordtat wird durch ihn allein moralisch und poetisch aufgelöst. Neben dem ruchlosen Mord aus Impietät [Gottlosigkeit] und Ehrsucht steht nunmehr Tells notgedrungne Tat, sie erscheint schuldlos in der Zusammenstellung mit einem ihr so ganz unähnlichen Gegenstück, und die Hauptidee des ganzen Stücks wird eben dadurch ausgesprochen, nämlich:
„Das Notwendige und Rechtliche der Selbsthilfe in einem streng bestimmten Fall." (...)

Schillers Werke. Nationalausgabe. 10. Band: Die Braut von Messina, Wilhelm Tell, Die Huldigung der Künste. Hrsg. v. Siegfried Seidel. Weimar: Hermann Böhlaus Nachfolger, 1980, S. 457 f.

Sein größter Erfolg (an Wilhelm von Wolzogen, 20. März 1804)

Mein *Tell* ist vor 3 Tagen hier gespielt worden und mit dem größten Succeß, wie noch keins meiner Stücke.

Schillers Werke. Nationalausgabe. 32. Band: Briefwechsel. Schillers Briefe 1803–1805. Hrsg. v. Axel Gellhaus. Weimar: Hermann Böhlaus Nachfolger, 1984, S. 116.

Des Theatralischen mächtig (an Christian Gottfried Körner, 12. April 1804)

Der *Tell* hat auf dem Theater einen größern Effekt als meine anderen Stücke, und die Vorstellung hat mir große Freude gemacht. Ich fühle, dass ich nach und nach des Theatralischen mächtig werde.

Schillers Werke. Nationalausgabe. 32. Band: Briefwechsel. Schillers Briefe 1803–1805. Hrsg. v. Axel Gellhaus. Weimar: Hermann Böhlaus Nachfolger, 1984, S. 123.

Deutungen

Die wichtigsten Aspekte der Deutungsgeschichte des Stücks fasst Wilhelm Große zusammen. Fritz Martini interpretiert den von Geßler befohlenen Apfelschuss als eine Vergewaltigung der inneren Freiheit des Titelhelden. Peter-André Alt sieht im *Tell* Schillers Beitrag zur zeitgenössischen Diskussion über das Recht auf politischen Widerstand. Inwiefern *Wilhelm Tell* eine Reaktion Schillers auf die Französische Revolution und ihre Folgen war, untersucht Rüdiger Safranski. Warum das Stück „voller Fragwürdigkeiten" steckt, gerade weil Tells Attentat die private Rache eines Einzelnen und nicht Teil des Volksaufstandes ist, zeigt Norbert Oellers.

Vier Problemzonen, zwei umstrittene Passagen (Wilhelm Große, 2002)

Die wissenschaftliche Deutungsgeschichte von Schillers populärstem Drama dürfte eigentlich keine Probleme aufwerfen, wirkt doch dieses mythenbildende Nationalspiel, in dem ein fast opernhafter, historischer Bilderbogen entfaltet wird, auf den ersten Blick leicht zugänglich. Allerdings verlief die Deutungsgeschichte kontroverser, als man annehmen mag, wobei sich die Interpretationsversuche vornehmlich um bestimmte Problemzonen gruppierten: Da ist erstens die Frage, wie weit sich Schiller im *Tell* den Idealen der Französischen Revolution angenähert hat bzw. von ihnen abgewichen ist, wie es also um die alten und die neuen Rechte steht, um den alten und den neuen Bund und um die Legitimität der Gewalt, mit der die Ideale realisiert werden. Eng damit verknüpft stellt sich zweitens die Frage, wie weit dem Handlungsverlauf ein bestimmtes, möglicherweise triadisches Geschichtsmodell unterlegt werden kann. Drittens steht infrage, wie die *Tell*-Handlung und die Rütliverschwörung einander zugeordnet sind. Kontrovers diskutiert wird viertens das Recht auf Widerstand bzw. die Legitimität des Tyrannenmords, wie sie im Drama entgegen oder parallel zur zeitgenössischen Philosophie bzw. politischen Theorie thematisiert wird. Wie schon der Aufführungsgeschichte des *Tell* zu entnehmen ist, sind auch für die Interpretation v. a. zwei Textpassagen in ihrer Funktion ausgesprochen umstritten: zum einen der Monolog vor dem Mord

Die Apfelschussszene bei den 60. Bad Hersfelder Festspielen 2010

an Geßler und zum anderen die Einführung der Parricida-Szene im fünften Akt. Beide Szenen sollen (...) Notwendigkeit und Rechtlichkeit der Selbsthilfe in Übereinstimmung mit Schillers Geschichtsphilosophie aufzeigen.

Wilhelm Große: *Kommentar*. In: Friedrich Schiller: Wilhelm Tell. Schauspiel. Text und Kommentar (Suhrkamp BasisBibliothek 30). Frankfurt am Main: Suhrkamp Verlag, 2002, 9. Aufl. 2019, S. 164.

Der Apfelschuss, eine Vergewaltigung der inneren Freiheit (Fritz Martini, 1960)

Hier geht es also nicht mehr nur um die allgemeine Knechtung von Freiheit und Vaterland, auch nicht mehr nur um das Unerträgliche einer willkürlich zugefügten und bis zur Hilflosigkeit treibenden Gewalttat, sondern um einen Eingriff in den persönlichsten innersten Bezirk des eigenen Tuns, um eine Vergewaltigung der *inneren Freiheit*. Eine Überwindung der nur zugefügten Gewalt durch den Sprung in die Freiheit zum Tode, der das Ich unverletzbar macht, war immer noch möglich. Dies sprach Gertrud Stauffacher aus: „Die letzte Wahl steht auch dem Schwächsten offen, / Ein Sprung von dieser Brücke macht mich frei." (I, 2) Jedoch für Tell bleibt keine Wahl, keine Freiheit, weil er selbst um beider Leben willen diese Gewalttat an seinem eigenen Kinde, an sich selbst vollziehen muss.

Diese Tat kann durch nichts, auch in Tell selbst durch nichts gerechtfertigt werden; sie versklavt ihn, den Freiesten, in eine Verschuldung, deren drohende Folgen zwar durch den glücklichen Schuss vermieden werden, die gleichwohl aber schon in ihrer Möglichkeit allen Gesetzen der Natur widerspricht. Schiller hat dies – wenn auch im Affekt der subjektiven mütterlichen Erregung – als eine objektive Tatsache durch Hedwig aussprechen lassen. Diese Tat büßt nichts dadurch von ihrem Ernst ein, dass Tell, subjektiv durchaus schuldlos, gezwungen wurde, sie zu vollziehen, um seines Kindes und sein eigenes Leben zu retten. Die furchtbare Paradoxie, die ihm Geßler mit unmenschlichem Spiel auferlegt, liegt nicht nur darin, dass er das Leben seines Kindes in die höchste Gefahr bringen muss, um es zu bewahren, sondern dass er, der auf die volle Freiheit seiner Persönlichkeit in der Harmonie ihrer Kräfte und ihres Fühlens eingestellt ist, jetzt in die engste Situation des ungeheuerlichen Verbrechens gezwungen, im Grunde seines Wesens – nicht nur in seiner Väterlichkeit, sondern seiner Menschlichkeit schlechthin – vergewaltigt wird.

Er war bisher der „Meister seines Schicksals" gewesen; dass Geßler ihn jetzt so nennt, schließt eine grausame Ironie ein. Er wird gezwungen, seine Harmonie in sich selbst, damit sein Wesen schlechthin zu verletzen; er wird gezwungen, seine Freiheit, die das Totale seines Menschentums in allen seinen Entfaltungen ausmacht, durch die eigene Tat preiszugeben. Mit diesem von Geßler ersonnenen „eigen Wagstück" für den „von andrer Menschen Weise" entfernten Tell ist wirklich die Klimax der Despotie erreicht – im radikalsten Gegensatz zu jenem Satz Schillers von dem „Staatskünstler" und seinem Verhalten gegenüber der Materie, das objektiv und für das innere Wesen ihrer[!] Eigentümlichkeit und Persönlichkeit schonen muss. Dieser Despot kennt Tell gut genug, um ihn im Kern seiner Persönlichkeit zu treffen. Mit mörderischer Ironie nutzt er, was Tell auszeichnet, dazu, ihn in diese Vergewaltigung zu stoßen. Es geht in diesem Augenblick der größten dramatischen Konzentration nicht nur um ein subjektives und privates Geschick des Vaters, sondern es geht um das frevelhafte Spiel mit dem in seiner innersten Persönlichkeit vergewaltigten Menschen, um ein Vergehen gegen alle objektive Menschlichkeit und ihre heiligsten Rechte in sich selbst. Dies ist es, was das, was Tell auferlegt wird, von dem scheidet, was die anderen Bauern bisher erlitten haben und was sein Geschick zum exemplarischen Fall der tiefsten Rechtsverstörung macht. Denn in ihm wird das objektiv Menschliche schlechthin vergewaltigt.

Fritz Martini: *Wilhelm Tell, der ästhetische Staat und der ästhetische Mensch.* In: Der Deutschunterricht 12/1960, S. 90–118, hier: 106 f.

Disput über politisches Widerstandsrecht (Peter-André Alt, 2004)

Schiller war sich, vor dem aktuellen Hintergrund der napoleonischen Niederschlagung der Helvetischen Republik, der Wirksamkeit des Stoffs bewusst. In einem Brief an Wilhelm von Wolzogen schreibt er am 27. Oktober 1803: „(…) auch bin ich leidlich fleißig und arbeite an dem *Wilhelm Tell*, womit ich den Leuten den Kopf wieder warm zu machen denke. Sie sind auf solche Volksgegenstände ganz verteufelt erpicht, und jetzt besonders ist von der schweizerischen Freiheit desto mehr die Rede, weil sie aus der Welt verschwunden ist." (…) In diesem Kontext wäre der *Tell* zu lesen als eine Idylle über die (glückende) Revolution, als Gegenentwurf zur politischen Wirklichkeit des hereinbrechenden napoleonischen Zeitalters. Die Balancekonstruktion, die Schiller vorführt, bezeichnet die Bedingungen, unter denen nach seinem Verständnis revolutionäres Handeln stehen muss, soll es moralisch und rechtlich vertretbar sein. Der Rütlibund enthält sich jeglicher Gewalt, Tell wiederum tötet den tyrannischen Landvogt Geßler nicht aus politischen Motiven, sondern als Familienvater, der die Sicherheit seines Hauses verteidigt (…). Johannes von Schwaben (Parricida), der König Albrecht, seinen Onkel, aus Machtgier umbringt, verübt auf der anderen Seite ein Verbrechen gegen die eigene Familie, das auch Tell verwerfen muss (…).

In der Rütliszene fällt es Stauffacher, dem Kopf der Allianz, zu, den zentralen Rechtsgrundsatz zu skizzieren, auf den sich der Widerstand der Schweizer zurückführen lässt (…). Die Metaphorik deutet an, dass der Weg nach der Aufkündigung des Herrschaftsvertrags, der einstmals zwischen Volk und Kaiser existierte, in einen moralisch aufgewerteten Naturzustand zurückführt, der jene Freiheit zur Selbstbestimmung verheißt, die das Habsburgerhaus den Schweizern vorenthält. Stauffacher umreißt hier die Entwicklung von Hobbes' Souveränitätslehre, die dem Untertan eine Funktion nur als untergeordnetes Element im Riesenkörper des Leviathan einräumt, zum *Contrat social* Rousseaus, der dem Bürger das Recht auf Partizipation am sozialen Ensemble der Normen und Gesetze des ihn schützenden Staates sichern möchte (in den Briefen *Über die ästhetische Erziehung* hatte Schiller 1795 noch Vorbehalte gegen die Kontingenzrisiken eines auf freier Kräftebalance beruhenden Gesellschaftsvertrags geltend gemacht, die jetzt zurücktreten dürfen […]).

Ein wesentliches Element der Schweizer Erhebung bildet der prinzipielle, nur in Ausnahmefällen modifizierbare Verzicht auf Waffen. Im Rütlibund verordnet Stauffacher die Vermeidung von Vergeltungsakten, die wiederum die moralische Prämisse für das von ihm ausgeübte Widerstandsrecht darstellt (...). Schiller nimmt an diesem Punkt auch Stellung zum großen Disput über Möglichkeiten und Grenzen eines politischen Widerstandsrechts, der unter dem Eindruck der Hinrichtung Ludwigs XVI. im Januar 1793 nicht nur in Deutschland geführt wurde. Der *Tell* zeigt, dass eine Erhebung im Notfall legitim sein kann, sofern sie sich auf dem Boden der Humanität und Gewaltfreiheit bewegt. Das Drama stützt sich dabei auf Johann Benjamin Ehrhards 1794 entstandene Schrift *Über das Recht des Volks zu einer Revolution*, in der die Ansicht vertreten wurde, dass der Widerstand gegen den Despotismus als moralisch sanktionierter Akt aufzufassen sei, da man Formen despotischer Regierungspraxis als Angelegenheit der gesamten Menschheit betrachten, mithin im Rahmen des Völkerrechts bewerten müsse. Diese Argumentation richtete sich auch gegen die Überzeugung Kants, der 1793 in einem Beitrag für die *Berlinische Monatsschrift* Umsturzhandlungen prinzipiell als Verstoß gegen das Gebot der Unantastbarkeit der souveränen staatlichen Ordnung verworfen und „alle Widersetzlichkeit gegen die oberste gesetzgebende Macht" als „das höchste und strafbarste Verbrechen im Gemeinwesen" bezeichnet hatte.

Die Aktion der Eidgenossen ist keine konservative Revolution, deren einziges Ziel die Wiederherstellung der traditionellen Bürgerrechte bildet, sondern ein Aufbruch in eine Gesellschaftsform, die im Zeichen der sozialen Gleichheit steht. (...)

Sturz der Fremdherrschaft und neue soziale Egalität bilden die Ziele einer Revolution, die Schillers Drama als (nahezu) gewaltfreies Ereignis darstellt, indem es das politische Geschehen auf das Referenzfeld der Natur bezieht. Erneut leuchtet hier eine triadische Konstruktion auf, wie sie für die Geschichtsphilosophie des deutschen Idealismus charakteristisch bleibt. Das Schweizer Hirtenvolk lebte ursprünglich in idyllischen Verhältnissen, wurde durch die Habsburger in Unfreiheit gestürzt und befreit sich nun zu einer qualitativ neuen Form der Selbstbestimmung, welche die Restitution der alten Rechte mit einem neuen Programm sozialer Autonomie verknüpft. Die Natur bildet im gesamten Drama das Bezugssystem des politischen Handelns, wie es mit unübersehbarer Symbolkraft der Sonnenaufgang über dem Rütli bei Tagesanbruch nach dem Eidesschwur demonstriert. In solchen Szenen erweist sich nicht zuletzt, dass Schiller ein souveräner Bühnenmeister ist, der es versteht, das Publikum sinnlich zu überwältigen.

Peter-André Alt: *Friedrich Schiller*. (Reihe C. H. Beck Wissen) München: C. H. Beck, 2004, S. 113–116.

Die Französische Revolution und Schillers *Wilhelm Tell* (Rüdiger Safranski, 2004)

Beseitigung der Tyrannei und Verwirklichung der naturrechtlich begründeten politischen Freiheit waren auch die Forderungen der Französischen Revolution. Aber waren Tell und die Verschworenen des Rütlibundes wirklich Revolutionäre? Waren sie vielleicht sogar Jakobiner wie sie im Buche stehen? Man konnte das Stück als ein Revolutionsdrama verstehen, und es wurde auch teilweise, besonders von offiziell politischer Seite, so verstanden. Es hat deshalb nicht an Versuchen gefehlt, Aufführungen des Stückes zu verhindern oder zu entschärfen. Es dauerte mehr als ein halbes Jahrhundert, bis *Wilhelm Tell* unverstümmelt auf der Bühne erscheinen konnte. (…)

Wie man das Stück verstand, ist die eine Sache, wie es von Schiller gemeint war, eine andere.

Schiller hatte sein Urteil über die Französische Revolution in seinen *Briefen über die ästhetische Erziehung* ausführlich dargelegt. Freiheit, Menschenrechte, Republik waren für ihn löbliche Ziele, wenn sie von Menschen angestrebt und erkämpft werden, die selbst innerlich frei sind. Er hatte Fichtes Gedanken, dass man Freiheiten im politischen Kampf um sie erlernen kann, zurückgewiesen zugunsten seiner Idee, wonach man erst durch ästhetische Bildung und im Spiel Freiheit erlernen und verinnerlichen muss, um sie dann in der äußeren politischen Welt errichten zu können. An dieser Auffassung hielt er seitdem unbeirrt fest. Der Aufstieg Napoleons hatte ihn wegen der Magie der Macht zwar fasziniert, doch zugleich auch empört. Er sah darin seine Befürchtungen bestätigt, dass in einer Gesellschaft der Unfreien die Macht der Willkür und des Egoismus angebetet wird. Napoleon, so dachte Schiller, kann ein Abgott nur für diejenigen sein, die nicht ihre Freiheit wollen, sondern die Macht anbeten, die sie selbst nicht besitzen. Schiller verabscheute die Unterwerfungslust, die Napoleon erregte. „Zu dem Eroberer", berichtete Karoline von Wolzogen, „hatte er nie Neigung und Vertrauen, nie hoffte er, dass irgendetwas Gutes der Menschheit durch ihn werden könne". Nach dem zwischen Frankreich und Österreich am 9. Februar 1801 geschlossenen Frieden von Lunéville, der die kontinentale Hegemonie Napoleons festschrieb und die Auflösung des alten Reiches vorbereitete, wurde Schiller von Göschen um ein Gedicht zur Feier dieses Friedens gebeten. Er lehnte ab (…). Wo ist der Freiheitswille geblieben? Frankreich, wo er vor Kurzem so mächtig erwachte, ist ihm inzwischen zum Hort von Unfreiheit, von Gewalt und Eroberungswillen geworden. (…)

In dem Gedicht zum *Antritt des neuen Jahrhunderts* heißt es: „Ach, umsonst auf allen Länderkarten / Spähst du nach dem seligen Gebiet, / Wo der Freiheit ewiggrüner Garten, / Wo der Menschheit schöne Jugend blüht" (…). Nun entdeckte er in der Bergwelt des Wilhelm Tell den „ewiggrünen Garten" der Freiheit. Hier kann er zeigen, dass die wahre Revolution eine konservative ist; dass sie sich nicht der Suche nach einem neuen Menschen verdankt, sondern der Verteidigung des alten, wohlgeratenen; dass Großes entsteht, wenn das Gelungene sich wehrt gegen eine Neuerung, welche die Dinge und Menschen schlechter macht; dass die Idylle nicht idyllisch ist, sondern ihre Würde zu verteidigen weiß bis hin zum Tyrannenmord; dass der Fortschritt im Bewahren liegen kann; dass man sich verlieren kann, wenn man mit der Zeit geht. Die Lichtung, auf der die Verbündeten sich zum Rütlischwur vereinigen, ist nicht das Licht am Ende eines geschichtlichen Tunnels, sondern der stets zugängliche Ort individueller Verantwortung und gemeinschaftlicher Selbstbehauptung. Der *Wilhelm Tell* vergegenwärtigt eine Freiheit, auf deren historische Stunde man nicht warten braucht, sondern die man immer schon hat, wenn man sie sich nimmt; eine Freiheit, die weniger errungen als bewahrt und seltener von der Geschichte hervorgebracht als ihr abgetrotzt wird. (…) Tell ist langsam, aber ohne Mission. Er ist ein Selbsthelfer. Seine Langsamkeit und Bedächtigkeit machen ihn stark und unbezwingbar, in der stolzen Verteidigung des Alten gewinnt er seine Zukunft.

Rüdiger Safranski: *Schiller oder Die Erfindung des Deutschen Idealismus.* München: Carl Hanser Verlag, 2004, S. 493–498.

Privataktion statt Revolution (Norbert Oellers, 2005)

Tell ist zweifellos ein Freiheitsdrama, ein Drama mit glücklichem Ausgang. (…) Doch das Schauspiel steckt voller Fragwürdigkeiten.

Entgegen der politischen Auslegungsandeutungen Schillers in seinem Widmung-Gedicht für Karl Theodor von Dalberg verherrlicht das Stück nicht die revolutionäre Tat eines Volkes. Tell ist kein Mitglied der Verschwörergruppe, und er braucht nicht gebeten werden, tätig zu werden. Tell ist ein durch die politische Macht beschädigter Privatmann. Er allein soll das geknechtete Land aus den Fesseln der Tyrannei befreien, denn aufs Volk wollte der Dichter, der die Gräuel der Französischen Revolution mit Abscheu registrierte, keine Karte setzen. Und so wurde die durch die Überlieferung beglaubigte Geschichte einer Volkserhebung zur Dekoration degradiert, und den ehrenwerten Kantonsrebellen Stauffacher, Fürst und Melchthal bleiben nur Nebenrollen.

Skizze von Heinrich Meyer zur Weimarer Uraufführung am 17. März 1804

Der aufrechte Mann Tell aus Uri wurde in seiner Ehre verletzt; weil er sich dem Unrecht widersetzte, wurde er gedemütigt. Da ihm die Flucht gelang, musste er fürchten, dass Frau und Kindern der Tod drohte. Wie anders als durch die Tötung Geßlers hätte er die Bedrohung abwenden können? Warum aber brachte er Geßler nicht um, als dieser ihm befahl, auf das Haupt seines Sohnes zu zielen? Über die Unfassbarkeit des Apfelschusses (der natürlich immer wieder eine beträchtliche theatralische Wirkung erzielt) hat Schiller Tells Frau Hedwig das Nötige sagen lassen. Den Hut nicht zu grüßen, ist anständig; mit versehentlichem „Unbedacht" (...) die Nichtbeachtung des Hutes zu erklären, ist verständlich; den Sohn zu gefährden, um den eigenen Kopf aus der Schlinge zu ziehen, ist anstößig. Und weiter: Das eigene Leben zu riskieren, um die Last von einem Volk zu nehmen, ist ehrenvoll; auf das Wort eines Ganoven, das dieser nicht einmal zu brechen brauchte, unbedacht zu reagieren, ist kläglich.

Tell ist ein sehr einfacher Mann. Er hätte also nicht auf den Apfel, sondern auf Geßler schießen sollen? Vielleicht hätte er sich damit selbst gefährdet – vielleicht auch nicht. Natürlich wäre er auch bedroht gewesen, wenn er den Sohn getroffen hätte; dann hätte es zunächst zwei Tote gegeben, und vielleicht wäre der Todesschütze von Geßlers Handlangern festgenommen worden. Alles wohl erwogen: Wenig spricht für den Apfelschuss.

Die moralischen Bedenken gegenüber Tell lässt der Dichter wohl zu, aber er wischt sie weg: Das Schauspiel muss weitergehen. Die Herzlosigkeit Geßlers war noch einmal zu demonstrieren, damit das Fass des Hasses ganz gefüllt werde. In der Hohlen Gasse erinnert sich Tell freilich (für den Zuschauer ist das ganz neu!), dass er ohnehin, auch nach geglücktem Apfelschuss und darauf gewährter Freiheit, entschlossen gewesen sei, bei erster Gelegenheit den Landvogt zu töten. Das wäre dann vermutlich ebenfalls aus dem Hinterhalt geschehen. Tells Erinnerung lässt sich auf verschiedene Weise interpretieren, ohne dass sich damit die Möglichkeit eröffnet, die Beurteilung seiner Person in eine neue Richtung zu lenken.

Geßler stirbt, so scheint es lange Zeit, weil er Tell verständlicherweise in Gewahrsam genommen hat, nachdem dieser ihm freimütig gesagt hat, dass er ihn getötet hätte, wenn ihm der Schuss auf den Apfel missraten wäre. Geßler musste, um Leben und Macht zu erhalten, so handeln. Tell musste schließlich, um des Familienerhalts und -friedens willen, den tödlichen Pfeil abschicken und so die Revolution auslösen, wenn nicht gar im Alleingang besorgen. Mit dem Volk, das ihn als Helden feiert, wird er auch in Zukunft nichts zu tun haben.

Schiller hatte Grund zur Annahme, dass Tells Tun (und Lassen) Kritik hervorrufen könne. Deshalb konzentrierte er das Geschehen auf die befreiende Tat. Dass Geßler, der sich so deutlich als Bösewicht gezeigt hatte, sterben musste, sollte keiner weiteren Begründung bedürfen. Ob die Motive des Täters über jeden Zweifel erhaben waren, blieb allerdings noch fraglich. Zur Beantwortung der Frage ließ Schiller am Ende Parricida auftreten: So sieht ein Verbrecher aus – der allerhöchsten Ortes seine Schuld beichten muss, um die Hoffnung aufs Himmelreich nicht zu verlieren! Tell hat nichts zu beichten. Dass die Konfrontation Schiller wichtig war, lässt die Vermutung zu, er habe dem Publikum die Integrität Tells zweifelsfrei machen wollen. Das aber kann nur heißen: Die von ihm für möglich gehaltenen Zweifel waren seine wirklichen, auf die das Publikum nun erst aufmerksam wurde.

Norbert Oellers: *Schiller – Elend der Geschichte, Glanz der Kunst.* Stuttgart: Reclam, 2005, S. 309–312.

Zur Wirkungsgeschichte

Wilhelm Tell wurde eines der erfolgreichsten, aber in der Folge auch umstrittensten Stücke Schillers, wobei es von Anfang an von der Popularität des Schweizer Nationalhelden profitierte. Norbert Oellers untersucht, inwiefern zum Erfolg des Stücks die vielen einprägsamen Sentenzen beitrugen. Klaus Jürgen Seidel beschreibt, wie sich gerade im 20. Jahrhundert verschiedene politische Richtungen ihren eigenen Reim auf den *Tell* zu machen versuchten. Der Schweizer Autor Max Frisch verfasste einen *Wilhelm Tell für die Schule*, zu dem ihn ein Terroranschlag im Jahr 1969 inspirierte. Zu Hitlers 100. Geburtstag am 20. April 1989 hielt der Dramatiker Rolf Hochhuth eine Rede über *Wilhelm Tell* und den Widerstand im Dritten Reich. Wie frisch und modern man Schiller auch heute noch inszenieren kann, bewies Stefan Bachmanns Aufführung am Theater Basel im Jahr 2017.

Volksstück der geflügelten Worte (Norbert Oellers, 2005)

Die Uraufführung des Schauspiels am 17. März 1804, die fünf Stunden dauerte, befriedigte die Zuschauer, sodass es noch schnell zweimal gegeben wurde. (…) Später kam das Stück unter Goethes Leitung etwa so oft wie die übrigen „klassischen" Dramen Schillers auf die Weimarer Bühne, im Durchschnitt einmal pro Jahr, weit seltener als *Don Karlos*, aber viel häufiger [als] die drei ersten Stücke des Dichters. Für die Aufführung am 1. Dezember 1804, die Maria Paulowna, die russische Kaisertochter und weimarische Erbprinzessin, besuchte, nahm Schiller erhebliche Kürzungen vor, strich unter anderem den gesamten fünften Akt, „weil wir", wie er an Körner schrieb, „des Kaisermords nicht erwähnen wollten" (Brief vom 10. Dezember 1804 […]). (…)

In der öffentlichen Kritik fanden die *Tell*-Aufführungen, auch die in Berlin (zuerst am 4. Juli 1804), in Mannheim (zuerst am 15. Juli 1804) und Hamburg (zuerst am 25. September 1804), freundlichen Beifall. Nachdem das Werk, von Cotta verlegt, Ende September, also zur Herbstmesse 1804, erschienen war (…), fand es in den führenden Literaturzeitungen zunächst, d. h. bis zum Tod des Dichters, nur wenig Beachtung. (…)

Ein Volksstück wollte Schiller mit seinem *Wilhelm Tell* schreiben, ein Stück, in dem das Volk selbst – geschlossener als die Soldaten im *Wallenstein* und aktiver als die Teilnehmer am Krönungszug in der *Jungfrau von Orleans* – als dramatische Person in Erscheinung tritt und ein wenig handelt, ein Stück auch, das auf die Anerkennung des „einfachen Volkes" zählen konnte, dessen Interesse nicht in erster Linie den ästhetischen Qualitäten eines Werks gilt. Dieses Vorhaben ist dem Dichter durchaus gelungen. Kein anderes seiner Werke ist in Handlungsführung und sprachlicher Darstellung so unmittelbar zugänglich (und verständlich) wie *Wilhelm Tell*, kein anderes „erzählt" so viel und ist im Sinne Brechts so episch, kein anderes macht von volkstümlich klingenden, weil volkstümlich gewordenen Liedeinlagen so reichen Gebrauch. Und dann gibt es da mehr als 50 Verse, die schon bald zu „geflügelten Worten" geworden sind, von „Und mit der Axt hab' ich ihm 's Bad gesegnet" (I, 1 [...]) und „Der brave Mann denkt an sich selbst zuletzt" (I, 1 [...]) über „Die Axt im Haus erspart den Zimmermann" (III, 1 [...]) und „Ich tue recht und scheue keinen Feind" (III, 1 [...]) bis zu „Der Alte stürzt, es ändert sich die Zeit, / Und neues Leben blüht aus den Ruinen" (IV, 2 [...]) und „Es kann der Frömmste nicht im Frieden bleiben, / Wenn es dem bösen Nachbarn nicht gefällt" (IV, 3 [...]). Kein anderes Werk der deutschen Literatur ist so reich an „Sprüchen", die wie Allerweltsweisheiten benutzt werden und deshalb nicht selten zu dem Fehlschluss verführten, der Autor habe sich ins Triviale verloren – als habe es nicht einer großen Vorstellungs- und Darstellungsgabe bedurft, Maximen und Reflexionen in poetischer Form so zu bündeln, dass sie den Lesern und Hörern gar nicht als Erfindungen erscheinen, sondern als exakte Pointierungen menschlicher Erfahrungen, Einsichten und Urteile.

Norbert Oellers: *Schiller – Elend der Geschichte, Glanz der Kunst.* Stuttgart: Reclam, 2005, S. 297 f.

Politische Vieldeutigkeit (Klaus Jürgen Seidel, 1991)

Mit *Wilhelm Tell* hat das deutsche Theater stets seine Schwierigkeiten gehabt. Die Patrioten des 19. Jahrhunderts, die Nationalliberalen wie die Deutschnationalen und endlich die Nationalsozialisten haben sich jeweils ihren eigenen Vers auf das Stück gemacht. Rein deutsche Vorstellungen und Begrifflichkeiten sind stets in den *Tell* hineingelesen worden. Die Schweiz blieb nur im Text präsent und im lokalen Naturkolorit. So war es Lieblingsstück sowohl des deutschen Liberalismus wie auch des extremen nationalen Patriotismus. Einmal sah man in diesem Drama das Bekenntnis zur demokratischen Republik, ein andermal eine Verherrlichung der

Hans Marr mit Detlef Willecke in einer Szene des Films *Wilhelm Tell* (1934)

nationalen völkischen Idee. Beide Einstellungen haben sich meist gegenseitig behindert und erschwert. Das führte sogar zum behördlich verordneten Aufführungsverbot: In der Nazizeit zählte der *Tell* anfänglich zu den meistaufgeführten Schiller-Stücken. Dann wurde es 1941 per „Führeranweisung" verboten und musste von den Bühnen, aus den Bibliotheken und auch aus dem Schulstoff des Deutschunterrichts entfernt werden: Die Wirkung des *Wilhelm Tell* auf das deutsche Publikum war im dritten Kriegsjahr bereits unberechenbar geworden; das Drama konnte plötzlich auch als aktuelles Schlüsselstück gegen die Diktatur angesehen werden. Am 20. April 1989, zum 100. Geburtstag Hitlers, hielt der Dramatiker Rolf Hochhuth im Wiener Burgtheater eine viel beachtete Rede über *Wilhelm Tell* und die Formen des Widerstandes im Dritten Reich. Er stellte dabei den hingerichteten Schweizer Hitler-Attentäter Maurice Bavaud neben den Volkshelden Wilhelm Tell.

Nach dem Zweiten Weltkrieg ist *Wilhelm Tell* von den meisten Bühnen gemieden worden. Eine radikale Umdeutung der Figuren und Situationen in die politische Gegenwart der zwanziger Jahre und den heraufziehenden Faschismus unternahm Hansgünther Heyme 1966 in Wiesbaden und 1984 in Stuttgart. Er hat damit das vernachlässigte Drama in eine historische und damit politische Diskussion zurückgeholt. 1989 brachte Claus Peymann am Wiener Burgtheater eine realistisch-genaue, nüchtern-schöne *Tell*-Aufführung heraus.

Klaus Jürgen Seidel: *dtv Junior Schauspielführer.* München: Deutscher Taschenbuch Verlag, 3. Aufl. 1996, S. 204 f.

Zur Entstehung von *Wilhelm Tell für die Schule* (Max Frisch, 1971)

Das auslösende Moment für meinen *Tell* war das Attentat der palästinensischen Befreiungsfront El Fatah auf den Flughafen Zürich-Kloten. Die Aussage der Verhafteten, die sich auf *Wilhelm Tell* beriefen, hat mich irritiert. Ich habe Schiller wieder gelesen und gefunden, dass der *Tell* keineswegs sein bestes Stück ist. Eigentlich ist es das Agitprop-Stück des deutschen Idealismus. Schließlich hat Schiller es auch nicht für die Schweiz geschrieben, sondern für den deutschen Idealismus.

Max Frisch: *Andorra / Wilhelm Tell. Materialien, Kommentare.* München/Wien: Hanser Verlag, 1977, S. 83.

Tell gegen Hitler (Rolf Hochhuth, 1989)

Hitler wusste denn auch ganz genau, warum er nicht mit seinen Paladinen im biergelben Hemd und mit seinen Schellenbäumen in silberblitzenden Generalsuniformen ins Burgtheater kam, als hier auf diesen Brettern, eben zu dieser Stunde vor 51 Jahren am 20. April 1938, die Führer-Geburtstagsaufführung *Wilhelm Tell*, zur Feier auch des sogenannten Anschlusses, stattfand. Vermutlich aus Furcht vor einem Attentat kam Hitler nicht ins Burgtheater. Lebte er doch so umsichtig wie leider erfolgreich nach seiner Maxime: Völlig überraschend und unregelmäßig kommen und gehen, bietet allein Schutz vor Attentätern – was ja bei Theaterbesuchen nicht möglich ist; Präsident Lincoln war denn auch der Einzige nicht, der in einem Theater ermordet wurde. Hitler setzte hinzu – denn er sprach sehr oft bei Tisch über seine Angst vor Attentaten, und deshalb allein sprach er auch so oft von Schiller; und er sprach *nur* von Schiller; sonst von keinem einzigen Dichter; und sprach auch von Schiller nur deshalb und stets bedauernd verächtlich, weil der *Wilhelm Tell* geschrieben hat (...) So am 3. Mai 1942, als der mörderische Feigling, der sich

Roland Koch als Wilhelm Tell in der Freilichtaufführung auf der Rütliwiese 2004

ja auch kein einziges Mal eine zerbombte deutsche Stadt angesehen hat, um allein *sein* Leben umständlich besorgt, sich wieder einmal über den Tell des Jahres 38 ereiferte: Den im Vorjahr enthaupteten Schweizer Maurice Bavaud, der als einziger Mensch des Zeitalters riskiert hatte, Hitler frontal mit einer Pistole aus der Welt zu schaffen. Als der zur Tatzeit 22-jährige Eidgenosse aus Neuenburg nach siebzehn Monaten Einzelhaft in der Todeszelle zur Berliner Guillotine geführt worden war, dauerte es nur noch drei Wochen, bis Hitler, nach Lektüre der Hinrichtungsprotokolle – getippt in Großbuchstaben auf der sogenannten Führerschreibmaschine, damit Hitler ohne Brille lesen konnte –, bis Hitler am 3. 6. 41 durch seinen Bormann den Geheimbefehl an drei Minister sandte, *Wilhelm Tell* dürfe nicht mehr aufgeführt werden. Sein rückgratloser Goebbels, der ihm niemals widersprochen hat, schämte sich immerhin derart, dass er diese Anweisung in seinem Tagebuch verschwieg, obgleich er an manchen Tagen bis zu dreißig Druckseiten Journal diktierte: Die Nachwelt sollte niemals erfahren, dass der Dr. phil. geholfen habe, Schillers *Tell* zu unterdrücken ...

Rolf Hochhuth: *Tell gegen Hitler. Historische Studien.* Mit einer Rede von Karl Pestalozzi. Frankfurt am Main: Insel Verlag, 1992, S. 129–131.

Stefan Bachmann lässt Schiller am Theater Basel rappen (Claude Bühler, 2017)

„Stefan"-Rufe, rhythmisches Klatschen, Jubelgejohle, Pfiffe: So begrüßte Basel den einstigen Schauspieldirektor Stefan Bachmann, der nach 14 Jahren erstmals wieder am Haus inszenierte. Hatte er damals mit frechem „Unterhosen"-Theater das Publikum gespalten, so kehrte er dieses Mal zurück, so scheint es, es wieder zu einen. Die Freunde leichtfüßig dargebrachter Pop-Bühnenkunst befriedigte er zum mindesten, aber auch Schiller-Puritaner werden bekennen müssen, dass die Kraft des Dichterworts – man muss es so sagen – das überwältigende Erlebnis der zweistündigen Aufführung bildet.

Dabei forderte Bachmann vom Ensemble, was man Schauspielschülern schon im ersten Ausbildungsjahr austreibt: Das Sprechen nach dem Takt vom Blankvers, das Endigen mit dem Zeilenende, das Wiederneuansetzen mit Zeilenbeginn; angetrieben von den Beats des Live-DJs Flink kehrt Bachmann hier aber das Verschroben-Unnatürliche zum Gewollt-Artifiziellen und entfaltet nach strenger Partitur – gerade auch im Gruppensprech oder in kurzen Rap-Passagen – eine virile Macht, wie sie old-school-hip-hop-acts über das Publikum gebieten.

Im Griff der Uhrwerk-Beats im Sekundentakt werden Schillers fünfhebige Jamben mit idealistischem Pathosschwung und schweißtriefendem Angesicht speichelspritzend ins Auditorium gejagt. Beim oft belächelten Rütlischwur „Wir wollen sein einzig Volk von Brüdern, in keiner Not uns trennen und Gefahr" herrschte gebanntes Schweigen, als hätte das Publikum einem magischen Akt beigewohnt.

Bachmann erzählt den *Tell* aber nicht als chauvinistischen Nationalmythos, sondern als ein Märchen, das von einem archaischen Stamm handelt: Das Alpenvolk mit wilden Frisuren, Bärten, freien Brüsten, gekleidet mit Steppjacken, Schlafsäcken, Pelzüberhängen sieht aus wie eine Mischung aus Stadtrandexistenzen, Indianern, Wikingern und Galliern. Statt an Hodlers Tell-Bildnis erinnert Bruno Cathomas eher an den feisten Häuptling Majestix.

Wenn sich die Schwyzer, Urner und Unterwaldner über die neuen Zumutungen der habsburgischen Besatzer berichten oder die Befreiung vom Joch erörtern, so klingen die Beats wie das Indianer-Tom-Tom, das über die Täler pocht. Und auf einmal gerät der Gottglauben, auf den diese Leute nach Schillers Original ihr Recht zum Widerstand gegen die Tyrannen gründen, zum pantheistischen Eingebundensein der Kreatur: Mit gewaltigen Widder-Hörnern wie ein Zeremonienmeister ist Landammann Attinghausen ausgestattet; wenn er mit einem euphorischen „einig" stirbt, fährt er, die Arme wie ein Pharao gekreuzt, an Drahtseilen gen Himmel.

Diese Kreaturen, zumal der Tell, sind aber auch naiv, männlich-knorrig, unzivilisiert, offensichtlich Helden wider Willen und reizen das Publikum mit Sätzen wie „Der Starke ist am mächtigsten allein" zum Gelächter. Das Bühnenbild Olaf Altmanns ist eine Männerwelt, in der nur Männer auftreten, wenn auch in Frauenrollen: eine frontale Bollwerk-Bretterwand mit einem vertikalen Schacht, in dem die Älpler vorsichtig und mühsam auf und nieder kraxeln, und einem mittleren Seitengang, in dem man kriecht, weil man nicht darin stehen kann.

Sie ist nicht nur gut für träumerische Bergwelt-Assoziationen, wenn etwa zu psychedelischen Hackbrett-Klängen der Nebel wie am Fels vorüberzieht: Sie erzählt auch von Wehrhaftigkeit, Lebensstrenge, Enge, Hierarchie und Grausamkeit. Letztere erkennt Bachmann offenbar auch im Apfelschuss Tells vom Kopf seines Buben Walther, auch wenn der Schuss von Geßler erzwungen wurde – und kehrt danach, wie um die Schuldfrage zu brechen, die Rollen: Thiemo Strutzenberger wird vom (wunderbar dekadent-hassenswert dargestellten) Geßler zum Tell, der Cathomas als Geßler erschießt. Der Twist war danach das Foyer-Gespräch. Er wurde von vielen nicht verstanden.

Auch wenn Bachmann mit Wärme den Text zelebriert, uns mit Schillers Spannungsaufbau unterhält, klar mit seinen widerständigen Älplern sympathisiert, so zeigt er doch eine Karikatur, die den Gefühlsreichtum des aufrecht gehenden Menschen, wie ihn Schiller vorstellen wollte, verkürzt. Die Beats, der Rhythmus, der es erlaubt, die Verse ohne Peinlichkeitsbremse mit ungebrochenem Gefühlsausdruck wiederzugeben, engen diesen auch ein und versetzen die Sprache teilweise in ödes Rezitativ.

Aber es wäre unfair, diesen *Tell* an diesen Einwänden aufzuhängen. Die Aufführung ist höchst unterhaltsam. Sie öffnet den Blick auf eine neue Lesart jenseits von Schweiztümelei. Das Ensemble läuft zu hoher Form auf, spielt trotz der formalen Strenge mit freiem Elan.

In: nachtkritik.de, 2017 (abrufbar unter: https://nachtkritik.de/index.php?option=com_content&view=article&id=13659:wilhelm-tell-stefan-bachmann-inszenierte-schillers-schauspiel-mit-strenger-sprach-partitur-im-theater-basel&catid=38:die-nachtkritik-k&Itemid=40, Stand: März 2020)